Л.Ю. Скороходов
О.В. Хорохордина

ОКНО В РОССИЮ

Учебное пособие по русскому языку как иностранному для продвинутого этапа

ЧАСТЬ ПЕРВАЯ

2-е издание, переработанное, дополненное и исправленное

Санкт-Петербург
«Златоуст»

2009

УДК 811.161.1

Скороходов, Л.Ю., Хорохордина, О.В.
Окно в Россию : учебное пособие по русскому языку как иностранному для продвинутого этапа. В двух частях. Часть первая. — 2-е изд., перераб., доп., испр. — СПб. : Златоуст, 2009. — 192 с.

Skorokhodov, L.Y., Khorokhordina, O.V.
Window to Russia : a course of Russian as a foreign language for advanced learners. In 2 parts. Part 1. — 2nd ed., reworked, expanded and revised. — St. Petersburg : Zlatoust, 2009. — 192 p.

Зав. редакцией: *А.В. Голубева*
Редактор: *И.В. Евстратова*
Корректоры: *Н.А. Мирзоева, Н.И. Васильева, М.О. Насонкина*
Вёрстка: *Л.О. Пащук*
Иллюстрации: *Т.А. Сытая*
Обложка: *Т.А. Сытая*

Учебное пособие «Окно в Россию» адресовано изучающим русский язык как иностранный на II—III уровне (В2—С1). Может служить основой для практического знакомства со стилевыми разновидностями русского языка, а также различными сторонами жизни современной России: положение в обществе (с точки зрения материальной обеспеченности и принадлежности к определённой социальной группе), возможность профессиональной реализации; работа, учёба, досуг российской молодёжи; культурные интересы разных слоёв общества (литература, музыка, скульптура, кино).

Пособие рассчитано примерно на 120 часов. Авторы отводят бóльшую часть языковых и условно-речевых упражнений для самостоятельной работы, снабдив такие задания необходимыми лингвистическими и культурологическими комментариями, а также ключами, данными поурочно.

ISBN 978-5-86547-476-0

Подготовка оригинал-макета — издательство «Златоуст».

Подписано в печать 27.08.2008. Формат 60×90/8. Печать офсетная. Тираж 3000 экз. Заказ 12622.

Лицензия на издательскую деятельность ЛР № 062426 от 23 апреля 1998 г.

Санитарно-эпидемиологическое заключение на продукцию издательства Государственной СЭС РФ № 78.01.07.953.П.002067.03.05 от 16.03.2005 г.

Издательство «Златоуст»: 197101, Санкт-Петербург, Каменноостровский пр., д. 24, кв. 24.

Тел.: (+7-812) 346-06-68, факс: (+7-812) 703-11-79, e-mail: sales@zlat.spb.ru, http://www.zlat.spb.ru.

Отпечатано по технологии CtP в ОАО «Печатный двор» им. А.М. Горького. 197110, Санкт-Петербург, Чкаловский пр., 15.

СОДЕРЖАНИЕ

УРОК 1. ТЕМА: КОМУ НА РУСИ ЖИТЬ ХОРОШО?
(Российская семья в новой экономической ситуации)

УРОК 2. ТЕМА: ЖИЗНЬ КОРОТКА, ИСКУССТВО ДОЛГОВЕЧНО
(Городская скульптура и общество)

СОДЕРЖАНИЕ

Л.Ю. Скороходов, О.В. Хорохордина. ОКНО В РОССИЮ — 1

УРОК 4. ТЕМА: КИНО, ДА И ТОЛЬКО
(Фильмы на российских экранах)

Преподавателю

Учебное пособие «Окно в Россию» адресовано студентам, изучающим русский язык как иностранный, которые уже получили прочные базовые знания о системе русского языка и имеют опыт как устного, так и письменного общения на нём в различных сферах коммуникации. В системе западноевропейского университетского образования пособие рекомендуется к использованию на продвинутом этапе обучения в рамках курса «Развитие устной и письменной речи». Будучи построенным с сознательным учётом оппозиций *устная — письменная речь, диалог — нарратив, официальное — неофициальное общение*, а также являясь на тематическом и ситуативном уровнях связанным с различными сферами коммуникации: социально-бытовой, социально-культурной, учебной, официально-деловой, — пособие «Окно в Россию» может служить основой для практического знакомства обучающихся со стилевыми разновидностями современного русского языка, носителями которого мы считаем только жителей России, менталитет и язык которых модифицировались вместе с процессом горбачёвской перестройки (1985–1991 гг.), затем вместе с либерализацией экономики в эпоху президентства Б. Ельцина (1991–1999 гг.) и, наконец, на глазах меняются сегодня.

Отбор тематики, проблематики, коммуникативных ситуаций, языкового материала обусловлен ориентацией на модель усреднённой русской языковой личности современного студента дневного отделения вуза в крупном российском городе.

Пособие рассчитано примерно на 120 часов. Учитывая, что в системе университетов Европейского союза на данный курс отводится 52 часа под руководством преподавателя, авторы сочли возможным предназначить бо́льшую часть языковых и условно-речевых упражнений для самостоятельной работы, снабдив такие задания необходимыми лингвистическими и культурологическими комментариями, а также ключами, данными поурочно.

Пособие состоит из 8 уроков (по 4 в каждой книге). Каждый урок освещает стороны жизни семьи образованных людей в современной России: положение в обществе (с точки зрения материальной обеспеченности и принадлежности к определённой социальной группе); возможности профессиональной реализации; работа, учёба, досуг российской молодёжи; культурные интересы разных слоёв общества в области литературы, музыки, скульптуры, кино.

Уроки пособия строятся на текстоцентрической основе. Каждый из них открывается по-

лилогом (в некоторых разделах — диалогом), в котором участвуют вымышленные герои — семья москвичей Шамсутдиновых, состав которой отражает многонациональную и поликонфессиональную структуру российского общества: отец Тимур Искандерович (научный работник, татарин, мусульманин), мать Людмила Михайловна (секретарь в совместной фирме, русская, православная), сын Роман (студент экономического вуза, атеист), дочь Анна (ученица лицея, православная) и друг Романа Филипп (французский студент-русист, приехавший на стажировку в Москву). Речь героев индивидуализирована в соответствии со спецификой их возраста и характера, а также с учётом ситуаций общения. Анализ полилогов в пособии направлен как на обучение пониманию современной разговорной речи и усвоение стилистически маркированных (разговорных) языковых единиц (грамматических, фразеологических, лексических, словообразовательных, интонационных), так и на общее расширение лексического запаса путём работы над группами слов, связанных определёнными смысловыми отношениями.

Непосредственно за полилогами следует толкование трудных слов и выражений. Вопросы к полилогам рассчитаны на проверку понимания, а также выступают стимулом для воспроизведения употреблённых в полилогах лексических и фразеологических единиц и грамматических структур. Их дальнейшему закреплению служат последующие упражнения.

Успешное усвоение материала обеспечивается продуманной организацией комплекса упражнений, в основе которой лежит движение от собственно языковых упражнений к условно-речевым, а затем к коммуникативным. Сносками отмечены слова и выражения, представляющие интерес с лингвокультурологической и/или стилистической точки зрения. Такие слова и выражения прокомментированы в конце соответствующей страницы.

Вторая часть уроков содержит образцы письменной речи различной стилистической и жанровой принадлежности: материалы прессы, тексты законов, фрагменты докладов и пр. Соответствующий комплекс упражнений способствует накоплению у обучающихся как тематической лексики, так и языковых и экстралингвистических знаний, обеспечивающих официальное общение.

Каждый урок завершается двумя беседами, в центре которых обсуждение проблем, связанных с тематикой данного урока. При этом первая из них базируется на вопросах, предлагаемых авторами пособия; ход второй дискуссии организуется по заранее подготовленному плану ведущих из числа студентов. Тема итоговой беседы соотносится с темой заключительного сочинения.

Позволим себе дать ещё одну рекомендацию, касающуюся возможности использования пособия в качестве основы для обучения переводу на родной язык. Известно, что качественный перевод текстов разной стилистической принадлежности может быть осуществлён только при условии их детальной проработки, направленной на адекватное понимание, для чего необходимы подробные языковые и экстралингвистические комментарии. Такая подготовительная работа весьма трудоёмка, и поскольку в пособии ей уделено особое внимание, представляется рациональным использовать освоенные студентами тексты в качестве учебного материала в курсе перевода на родной язык.

Таким образом, учебное пособие «Окно в Россию» может выступать основой для совершенствования у учащихся умения строить как монологические, так и диалогические высказывания, выполнять коммуникативную роль как инициатора разговора, так и ответчика, участвовать как

в неформальных, так и в официальных коммуникативных ситуациях, создавать как устные, так и письменные речевые продукты в соответствии с параметрами ситуации общения.

Первое издание пособия, разошедшееся тиражом в 3000 экземпляров, было апробировано авторами и их коллегами в парижском Институте восточных языков и цивилизаций (INALCO) в 2002–2003 гг. на занятиях по грамматике и развитию устной и письменной речи на уровне licence (IV курс), что позволило учесть интересы студентов-русистов при отборе материала, равно как и найти оптимальную форму его представления. В предлагаемой вам обновлённой редакции пособия содержательно устаревшие тексты заменены актуальными, помещены новые задания и упражнения, исправлены замеченные ошибки и опечатки.

Надеемся, что работа с нашим пособием окажется полезной, плодотворной, эффективной и интересной.

Мы будем рады получить ваши отзывы и критические замечания по адресу:
levksk@hotmail.com или
olgakhor@yahoo.fr

Желаем успеха! Авторы

КОМУ НА РУСИ ЖИТЬ ХОРОШО?

| семья | приличный | новый русский | потребительская корзина | безработица |

РАЗГОВОР

ЗАДАНИЕ: Прослушайте аудиозапись разговора. Обращайте внимание на интонацию. Затем прочитайте разговор вслух по ролям.

Особенности произношения:
Исканде́рович — произносится:
    [искандэ́равич]

Филипп: Что такой хму́рый, Ро́ма?
Рома́н: А, это ты, Филипп? Привет тебе, привет. Да так, настроения нет: старики опять вою́ют — что ни день, то разбо́рка[1].
Филипп: Ну, ничего страшного, не переживай, не принимай близко к сердцу. Как поссорятся, так и поми́рятся, наверное, у всех бывает. Кстати, а ты что, с бабушкой и дедушкой живёшь?
Роман: Да нет же, стариками у нас вообще родителей называют. Да что с тобой, Фи́ля? Ты же видел их неделю назад!
Филипп: Ах, ну конечно, твои родители — такие милые люди: и мама Людми́ла Миха́йловна, и папа Тиму́р...
Роман: Исканде́рович...
Филипп: Да-да, Тиму́р Исканде́рович, такой интересный собеседник. А мама великоле́пно готовит — как в лучших ресторанах Парижа!

_____
[1] Разборка — *арго* ссора, выяснение отношений.

Роман: К сожалению, «парижские» ужины у нас не каждый день. Это матушка в честь тебя постаралась, чтобы «не ударить в грязь лицом перед французом». А позавчера она заявила, что у неё нет больше сил и деньги в дом нести, и дом вести и что к плите она больше не подойдёт. Так что закрылись наши «рестораны». Теперь папаша колдует над поваренной книгой.

Филипп: А твои родители что, часто конфликтуют?

Роман: Раньше — никогда, а теперь дело принимает серьёзный оборо́т: мать пригрози́ла отцу разво́дом, если он не найдёт работу к лету.

Филипп: А он что, не работает?

Роман: Увы! Отец безрабо́тный. Вот уже полгода как его архитектурную контору перекупили конкуренты. Всю старую гвардию разогнали, мол, фантазии маловато. Говорят, теперь народу нужны дворцы, а не хрущобы. Старик обижен: ему даже не дали закончить проект. А ведь он проработал там проектировщиком четверть века. Переживал он страшно. Кто его теперь на работу возьмёт, в его-то возрасте?

Филипп: Так вот оно что. Ром, а разве это законно?

Роман: Филипп Филиппович, вы уже год как в России-матушке живёте, а всё не понимаете, что здесь закон что дышло: куда повернул, туда и вышло.

Филипп: Надо же! Ну а посо́бие по безрабо́тице он хоть получает?

Роман: Ну разве это деньги, Фи́лин? Пособие это — ку́рам на́ смех! Жить на пособие — это не жить, а выживать.

Филипп: И как же вы выкручиваетесь? На что живёте?

Роман: Людми́ла Миха́йловна вкалывает. Она всего-то секретарша, но зато в одной круто́й фирме — и, слава богу, неплохо зарабатывает. Но ведь она и за квартиру заплати́, и семью накорми́, и нам с сестрой всё для учёбы купи́: А́нька гимназию кончает, потом в универ[1] хочет, да и мне до диплома ещё два года учиться. А вот теперь и папа́ша матери на шею сел. Потому-то она и на грани нервного срыва.

Филипп: Если вам приходится экономить, зачем же вы устра́иваете роско́шные ужины? Вашей русской «логики» мне не понять...

Роман: Просто мама давно уже мечтала, чтобы её кулинарное искусство оценил «настоящий француз», и вообще, что тебе объяснять, «широкая русская душа». Вот и получается: с деньгами в семье́ напряжёнка, но гость есть гость. Гостей у нас принимают по-царски.

Филипп: А я было подумал, что вы состоя́тельные люди.

Роман: Мы, конечно, не нищие, но до нувориши́ей нам как до Киева пешком, впрочем, мы и до среднего-то класса не дотягиваем. А новые русские у нас неслабо живут. Вот одна моя одноклассница простой девчонкой была — тише воды, ниже травы, а теперь к ней не подойди: во дворце живёт, на последнем «лексусе» разъезжа́ет, да ещё с личным шофёром и охранником, ви́лла на Лазу́рке, на модные дефиле в Париж и Лондон влёгкую катается. Поня́тное дело, о работе и не думает. Коро́че, завидная невеста. Но, как говорится, хорош кусок, да не по наш роток.

Филипп: Но на какие же деньги они всё это покупают?

Роман: Ха! Деньги? Ноу пробле́м: у неё папа — большой человек. В советские-то времена он в своей конторе простым бухга́лтером был, тихо над бумажками сидел, штаны протирал, но гря́нула перестройка, и — что мы видим? — контору приватизировали, а он стал одним из её

---

[1] Униве́р — *студенческий жарг.* университет.

совладе́льцев. Только название сменили: раньше было что-то типа Главжилстрой, а теперь ЗАО[1] «Прогресс Плюс».

Филипп: Что и говорить: великое дело — оказаться в нужное время в нужном месте.

Роман: Да, этой семье грех на жизнь жаловаться, но не всем так повезло. Многим сейчас тяжело. Сам посуди́: хотя зарплата растёт, но инфляция съедает все прибавки, жильё теперь в копеечку влетает, транспорт сумасшедших денег стоит, хоть пешком ходи. На хорошую работу просто так не устроишься. До чего до́жили — мне мамаша на мобилу в месяц больше двухсот рублей не даёт.

Филипп: Да... Социа́льное нера́венство — проблема ве́чная, и, как говорят русские, сытый голодного не разуме́ет. Но в России сейчас всё так быстро меняется, так что будем надеяться на лучшее.

КАК ЭТО ПРОЗВУЧАЛО В РАЗГОВОРЕ?

ЗАДАНИЕ: К каждому из фрагментов левой колонки подберите эквивалент из правой. Попросите преподавателя указать стилистически окрашенные выражения.

(1)

Родители ссорятся.	1		а	не ударить в грязь лицом перед французом
Каждый день ссора.	2		б	в честь тебя
Не расстраивайся.	3		в	Да что с тобой, Фи́ля?
Я удивлён твоими словами, твоим поведением.	4		г	Не принимай близко к сердцу.
для тебя	5		д	Что ни день, то разборка.
произвести хорошее впечатление на француза	6		е	Старики опять вою́ют.

(2)

зарабатывать деньги для всей семьи	1		а	К плите она больше не подойдёт.
заниматься домашним хозяйством	2		б	деньги в дом нести
Она отказывается готовить еду.	3		в	Папаша колдует над поваренной книгой.
У нас больше не будет прекрасно приготовленных обедов и ужинов.	4		г	Дело принимает серьёзный оборо́т.
Отец учится готовить по книге кулинарных рецептов.	5		д	дом вести
Дело может иметь серьёзные последствия.	6		е	Мать пригрози́ла отцу разво́дом.
Мать пообещала развестись с отцом.	7		ж	Закрылись наши «рестораны».

---

[1] ЗАО — *аббр.* от *закрытое акционерное общество* — частное предприятие с ограниченным числом акционеров.

③

фирма	1		а	Переживал он страшно.
Уволили всех, кто давно работал.	2		б	контора
говорят	3		в	Ему даже не дали закончить проект.
однотипные дома с маленькими квартирами, построенные во время Н.С. Хрущёва	4		г	мол
Ему даже не позволили закончить проект.	5		д	хрущобы
Он очень сильно был расстроен.	6		е	Старую гвардию разогнали.

④

Закон можно по-разному объяснять и по-разному использовать.	1		а	Она всего-то секретарша.
Это очень мало денег.	2		б	Закон что дышло: куда повернул, туда и вышло.
Это пособие очень мало́.	3		в	вкалывать
стараться остаться живым	4		г	И как же вы выкручиваетесь?
Как вы решаете такие сложные проблемы?	5		д	выживать
много и тяжело работать	6		е	Разве это деньги?
Она просто секретарь.	7		ж	Пособие это — ку́рам на́ смех!

⑤

Отец стал жить на деньги, которые зарабатывает мать.	1		а	с деньгами напряжёнка
проблемы с деньгами	2		б	Папа́ша матери на шею сел.
Я сначала что-то подумал, но затем изменил своё мнение.	3		в	состоя́тельные люди
обеспеченные люди	4		г	нувориши, новые русские
очень богатые люди	5		д	как до Киева пешком
очень далеко	6		е	Мы и до среднего-то класса не дотягиваем.
Наш уровень жизни ниже, чем у среднего класса.	7		ж	А я было подумал...

⑥

Очень богато живут.	1		а	На последнем «лексусе» разъезжа́ет.
тихий, скромный	2		б	поня́тное дело
Она игнорирует людей, которых считает ниже себя по социальному статусу.	3		в	Лазу́рка
Ездит на последней модели автомашины «лексус».	4		г	К ней не подойди.
Лазурный берег Франции	5		д	На модные дефиле влёгкую катается.
Может позволить себе часто ездить на показы модной одежды.	6		е	тише воды, ниже травы
разумеется	7		ж	Неслабо живут.

⑦

Это хорошо, но мы не можем этим пользоваться.	1		а	Грех на жизнь жаловаться.
Сидел на работе, не занимаясь ничем полезным.	2		б	В копеечку влетает.
Нет причин жаловаться на жизнь.	3		в	мобила
Очень дорого стоит.	4		г	Хорош кусок, да не по наш роток.
Стоит очень больших денег.	5		д	Сытый голодного не разуме́ет.
мобильный телефон	6		е	Штаны протирал.
Богатый бедного не понимает.	7		ж	Сумасшедших денег стоит.

ПРОВЕРИМ, ХОРОШО ЛИ ВЫ ПОНЯЛИ РАЗГОВОР.

3

ЗАДАНИЕ: Ответьте на вопросы.

1. Какое настроение у Романа? Почему?
2. Где и кем работал раньше отец Романа? Каков его статус сейчас?
3. Почему Тимура Искандеровича уволили с работы? Как он отреагировал на увольнение?
4. Легко ли будет отцу Романа найти новую работу? Почему?
5. Чем занимаются другие члены семьи Романа?
6. Как государство помогает безработным в России? Как оценивает эту помощь Роман?
7. Как относится мать Романа к тому, что её муж последние полгода не работает?
8. Что подумал Филипп о финансовом положении семьи Романа? А что говорит об этом сам Роман?
9. Что рассказывает Роман о других русских се́мьях?

15

10. Что стало причиной социального расслоéния в России и каковы показатели богатства и бедности, по мнению Романа?

11. Какие отношения между Романом и Филиппом?

12. Как друзья обращаются друг к другу? Какие из обращений являются шутливыми?

ЗАДАНИЕ: Поставьте слова из скобок в подходящую форму. Если необходимо, добавьте предлоги.

1. На молодёжном жаргоне (родители) часто называют (старики).

2. Эта семья устроила ужин в честь (свой польский друг).

3. Хозяйка приготовила роскошный обед, чтобы не ударить в грязь лицом (дорогой гость).

4. Жена пригрозила (муж) (развод).

5. Никто не захочет взять (он) (работа).

6. Бедные люди часто жалуются (трудная жизнь).

7. (Что) нувори́ши покупают шикарные автомобили?

8. (Безработные) трудно прожить (пособие) (безработица).

СЛОВООБРАЗОВАНИЕ

СОВЛАДЕЛЕЦ

Помните, Роман говорит, что отец его одноклассницы стал *со*владельцем фирмы? А вот другие существительные с префиксом *со-*:

• *После успешного выступления на заседании содокла́дчики пожали друг другу руки.*

• *Хотя на съёмках фильма сорежиссёры постоянно конфликтовали, картина удалась.*

ЗАДАНИЕ: Какое значение придаёт существительным префикс *со-*?
Замените выделенные словосочетания существительными с префиксом *со-* (курсивом отмечено ключевое слово). Где необходимо, измените структуру фразы.

1. На модном дефиле Лю́дочка встретила **девушку, с которой училась на одном** *курсе* в университете.

2. «Эту песню я написал не один,» — признался композитор, — «со мной вместе работал над ней ещё и **другой** *автор*».

3. Булга́ков, Маяко́вский, Шо́лохов **писали в одно** *время*.

4. В Германию переехало немало **людей, для которых** *отечеством* **была наша страна**.

5. Ведущий приглашает в свои ток-шоу только **тех, с кем интересно** *бесе́довать*».

6. «Нам известны все, **кто** *участвовал* **в этом преступлении**», — заявил сотрудник милиции в ответ на вопрос корреспондента.

Подсказка: сокурсница, соавтор, современник, (наш) соотечественник, (интересный) собеседник, соучастник (преступления).

Известны ли вам другие слова, образованные по этой модели?
Назовите их и составьте с ними предложения.

ЛЕКСИКА

ПРИЛИЧНЫЙ

Обратите внимание, что это слово может иметь несколько значений:

1. Приличный человек, приличная семья, приличное общество → *приличный = достойный, порядочный, соответствующий этическим представлениям*.

2. Приличная работа, приличная должность → *приличный = довольно престижный*.

3. Приличный костюм, приличная машина, приличное качество → *приличный = довольно хороший*.

4. Приличные деньги, приличный рост, приличное расстояние, приличная скорость → *приличный = довольно большой*.

ЗАДАНИЕ: Замените прилагательное *приличный* **синонимичным.**

1. — Ма́шенька, ты не забыла — мы в воскресенье приглашены́ на приём к Воскресе́нским?

   — А я не пойду, у меня нет ни одного *приличного* платья.

2. — На́стя, я запрещаю тебе встречаться с этим молодым человеком: он вы́глядит как банди́т.

   — Папа! Конечно, он не похож на всех этих так называемых «*приличных*» юношей, которыми ты стреми́шься окружать меня всё время. Но я люблю его, понимаешь, лю-блю!

3. — Куда мне поступить? Я мечтаю быть переводчиком.

   — Чтобы стать *приличным* переводчиком, ма́ло поступить в прести́жный вуз, нужно ещё иметь языково́е чутьё и хорошо знать родно́й язык.

4. — Что за город! ***Приличной*** гостиницы не найдёшь.

   — Во-во[1], и я говорю. А ещё туризм собираются развивать.

5. — Мари́на, ты меня удивляешь. Так расписа́ла своего нового ухажёра: и красавец, и умён, и воспитан. А он на ужине у Ле́ны напился, всем нагрубил, Ле́нку до слёз довёл.

   — Да, я в нём после этого вечера разочарова́лась, думала, он *приличный*, а он просто ха́мом оказался. Даже не извинился после этого.

ОБРАТИТЕ ВНИМАНИЕ:
Слово *неприличный (неприлично)* имеет одно значение: *несоответствующий общепринятым нормам*. Например:

И запо́мни, Ва́сенька, спрашивать у незаму́жней женщины, кто отец её ребёнка, неприлично.

---

[1] Во-во — *разг.* да (вот-вот, именно так).

ФРАЗЕОЛОГИЯ

 7

ЗАДАНИЕ: Поддержите разговор, используя в своих репликах один из фразеологизмов (если вы забыли их значение, смотрите задание 2 этого урока).

> а) не ударить в грязь лицóм;
> б) дело принимает серьёзный оборóт;
> в) не принимай близко к сердцу;
> г) кýрам нá смех;
> д) грех жáловаться

1. — Вчера я что-то плохо себя почувствовал, но не обратил особого внимания. А сегодня голова болит, жар, глотáть трудно. Похóже, настоящая ангúна.
   — Да, ...

2. — Обещали, что на Пáсху[1] будут каникулы, а на дéле дали отдохнуть только три дня.
   — Тоже мне óтпуск. Нéчего сказать. ...

3. — Вчера вышла неприятная история. Я хотел пошутить, а моя подруга обиделась. Не знаю, как теперь с ней помириться.
   — Ничего, всё устрóится. ...

4. — Знаешь, наконец-то я нашла место в офисе. И работа нетрудная, и платят прилично.
   — Тебе повезло. ...

5. — Я сейчас ужасно занят: готовлю выступление на конференции в Парижском институте славяновéдения. Наша кафедра считает, что моя тема очень заинтересует русистов.
   — Ну что ж, удáчи тебе. Главное — ...

8

ЗАДАНИЕ: Придумайте небольшие диалоги-ситуации, используя один из этих фразеологизмов.

ГРАММАТИКА

> ### ЕМУ НЕ ДАЛИ ЗАКОНЧИТЬ ПРОЕКТ.

 9

ЗАДАНИЕ: Замените глагол *дать* в этом высказывании синонимичными глаголами.

Отвечая на следующие вопросы, используйте конструкции с глаголом *дать*:
кому? (не) даёт + инфинитив
кто? кому? (не) даёт + инфинитив

1. Зачем бабушка заранее выключила будильник на следующее утро после того, как Даша сдала экзамен? (высыпаться/выспаться)

_____
[1] Пáсха — у христиан праздник в честь воскресения Христá.

Л.Ю. Скороходов, О.В. Хорохордина. ОКНО В РОССИЮ — 1

УРОК 1

2. Почему преподаватель, задав студентам сложное задание, сказал, что будет его проверять через 10 минут? (думать/подумать)

3. Для чего автомобилист заехал с проезжей части на тротуар, когда услышал сирену машины скорой помощи? (ехать/проехать)

4. Зачем Оксана согласилась принять приглашение в кафе от Майкла, который нагрубил ей на прошлой неделе? (исправлять/исправить ошибку)

5. Зачем пассажир, продвигаясь к выходу в переполненном автобусе, должен был обратиться к даме, преграждавшей ему путь? (выходи́ть/вы́йти)

6. Почему в университетской столовой девушка с подно́сом попросила молодого человека, сидящего за столом, немного подвинуть свою тарелку? (ставить/поставить)

А Я БЫЛО ПОДУМАЛ…

10

ЗАДАНИЕ: Сравните фразы из двух колонок:
— отметьте средства связи между частями предложений;
— обратите внимание на вид глагола: в каких примерах он указывает на то, что действие достигло результата;
— в каких примерах колонки Б частица *было* указывает на то, что действие *не достигает результата*, а в каких — что *результат аннулирован*.
Как от присутствия этой частицы меняется смысл фраз?

А	Б
1. Котёнок вы́пал из окна, но, оказавшись на земле, как ни в чём не бывало побежал по дорожке.	Котёнок вы́пал было из окна, но подбежавшая хозяйка удержала его в последний момент.
2. Рыболо́в поймал рыбку, да она сорвала́сь с крючка́.	Рыболов поймал было рыбку, да она сорвала́сь с крючка́.
3. Ма́шеньке удалось довести Юру до двере́й за́гса[1], да жених её сбежал в последнюю минуту.	Ма́шеньке удалось было довести Юру до двере́й за́гса, да жених её сбежал в последнюю минуту.
4. Ребёнок хотел погладить щенка́, но испугался и отдёрнул руку.	Ребёнок хотел было погладить щенка́, но испугался и отдёрнул руку.
5. Медсестра не заду́ла свечу, хотя сначала решила не мешать спящим солдатам.	Медсестра не заду́ла свечу, хотя сначала решила было не мешать спящим солдатам.

11

ЗАДАНИЕ: Добавьте в предложения частицу *было* и понаблюдайте, как меняется их смысл. Переведите на родной язык.

1. Таксист захлопнул (было) дверь машины, но внезапно его внимание привлёк блестящий предмет, вероятно, оставленный на сиде́нье кем-то из пассажиров.

2. Студент закончил (было) защиту диплома, но вдруг вспомнил, что забыл сказать слова благодарности научному руководителю.

3. Адвока́т хотел (было) пожать руку судье́, однако, увидев строгое выражение его лица, ограни́чился кивко́м.

---

[1] Загс — *аббр. от отдел за́писи а́ктов гражданского состоя́ния* — учреждение, где, в частности, регистрируются бра́ки.

4. Ли́за встала (было) с постели, но холод зимнего у́тра заставил её вновь забраться под одея́ло.

5. Уха́живание продолжалось уже несколько месяцев. Ива́н сначала (было) решил сделать Га́ле предложение, но в последнюю минуту чего-то испугался.

6. Матве́й Степа́нович купил (было) этот дом, но вскоре продал: место ему не понра́вилось.

7. Депутат от ЛДПР[1] хотел (было) взять слово, однако спикер Госдумы объявил перерыв в заседании.

8. Переводчик думал (было) проверить орфографию слова по словарю, но потом вспомнил, как оно пишется.

9. Я решил (было) заказать ещё одну книгу, однако времени до закрытия библиотеки оставалось слишком мало, и библиоте́карша отказалась принимать зака́з.

12 **ЗАДАНИЕ: Дополните предложения так, чтобы в каждом использовалась конструкция с** *было*.

1. ... , но изменил решение и принялся учить япо́нский.
2. ... , но потом, подумав, что большую будет дорого кормить, купи́ла маленького пу́деля.
3. ... , но бежавший вслед за ним спортсмен из Ке́нии опередил его и оказался победи́телем.
4. ... , однако, проработав всего два дня, уволился: новая работа оказалась не по душе́.
5. ... , хотя утром собрался было уезжать.
6. ... , хотя думал было послать только букет цветов.
7. Таможенник остановил было пассажира для проверки багажа, ...
8. Артём остановил было свой выбор на зеленогла́зой блондинке, ...
9. Из мяса хозяйка собралась было приготовить котле́ты, ...

ОН ЧТО, НЕ РАБОТАЕТ?

Герои разговора так высказывают *предположение*:

* *Ты* **что**, *с бабушкой и дедушкой живёшь?*
* *Твои родители* **что**, *часто конфликтуют?*

Такие конструкции характерны для разговорной речи. Слово что **стоит после субъекта, запятая указывает на паузу во фразе.**
А вот ещё несколько примеров предположения:

* *Он* **что**, *не придёт?*
* *Тебе* **что**, *скучно?*
* *У тебя* **что**, *денег нет?*

Если субъекта во фразе нет, что **ставится в начале, за ней следует пауза, а затем — остальная часть фразы:**

* **Что**, *дует?*
* **Что**, *закрыть окно?*

---
[1] ЛДПР — Либерально-демократическая партия России.

Л.Ю. Скороходов, О.В. Хорохордина. ОКНО В РОССИЮ — 1

УРОК 1

13

ЗАДАНИЕ: Составьте мини-диалоги, соединяя реплики из двух колонок.

— Извини, не могу с тобой говорить.	1		а	— А твоя машина что, сломалась?
— Я буду писать перевод сегодня до по́зднего вечера.	2		б	— Ты что, на первое свидание опаздываешь?
— Придётся в воскресенье ехать к родителям на поезде.	3		в	— А он у тебя что, опять не работает?
— Иржи поехал покупать подарки друзьям.	4		г	— А что, его уже завтра отдавать надо?
— Надо вызывать ма́стера, самому компью́тер мне не починить.	5		д	— Ему что, всё-таки удастся поехать в Россию?

14

ЗАДАНИЕ: Поддержите разговор, высказывая предположение.

1. — Вечером пойду делать причёску в салоне.
   — ...

2. — Завтра у Мари́ны проща́льный ужин.
   — ...

3. — Давайте купим билет на этот спектакль и для Андре́я.
   — ...

4. — Детей лучше отправить спать, ведь уже поздно.
   — ...

5. — Са́ша сегодня всем показывала золотую медаль своей овча́рки.
   — ...

ЧТО ТАКОЙ ХМУРЫЙ?

— так Филипп спрашивает друга о *причине* его плохого настроения.
Каким другим вопросительным словом можно заменить *что* в этой фразе?

15

ЗАДАНИЕ: Измените реплики по модели.

Почему здесь так холодно? → *Что здесь так холодно?*

1. Почему он опаздывает? →
2. Почему тут окна открыты? →
3. Почему вы скучаете? →
4. Почему авиадиспетчеры басту́ют? →
5. Почему эта женщина на тебя так смотрит? →

ЗАДАНИЕ: Используя слово *что* **в значении** *почему*, **поинтересуйтесь у товарища причиной:**

1. его особенно наря́дного вида;
2. заде́ржки зарплаты в этом месяце;
3. его долгого отсутствия на занятиях;
4. постоянного повышения цен в магазинах;
5. снятия министра со своего поста;
6. отсутствия картины в музее.

ХОТЬ ПЕШКОМ ХОДИ!

— эта фраза выражает идею вынужденного действия.

ЗАДАНИЕ: Определите грамматическую форму глагола, обратите внимание на его вид. Каким словом начинается эта конструкция? Предложите синонимичные варианты для данной фразы.

ЗАДАНИЕ: Ответьте собеседнику, используя конструкцию из предыдущего задания.

1. — Мобильный звонит целый день.
   — Да, надоело. Хоть совсем (отключать/отключить).

2. — Вторую неделю льёт дождь.
   — Да, хоть на улицу не (выходить/выйти).

3. — Це́лыми дня́ми по телевизору только о политике и говорят.
   — Да, хоть в комитет по печати жалобу (писать/написать).

4. Анжели́ка тарато́рит без у́молку. Хоть ни о чём не (спрашивать/спросить).

5. — Ужас, в городе сплошные автомобильные пробки.
   — Да, круглые сутки! Хоть машину (продавать/продать).

ОНА И ЗА КВАРТИРУ ЗАПЛАТИ, И СЕМЬЮ НАКОРМИ, И НАМ С СЕСТРОЙ ВСЁ ДЛЯ УЧЁБЫ КУПИ.

— эта фраза выражает идею необходимости действия.

ЗАДАНИЕ: Определите грамматическую форму глагола. Скажите, согласуется ли она с формой подлежащего? Предложите синонимичные варианты для данной фразы.

Запомните, что в таких разговорных конструкциях употребляются при одном подлежащем минимум два сказуемых, при этом глагол независимо от формы подлежащего всегда стоит в императиве 2-го лица единственного числа.

20 ЗАДАНИЕ: Ответьте собеседнику, используя конструкцию из предыдущего задания.

1. — Приходи в выходные в гости.
   — Не могу, у меня ку́ча[1] дел: квартиру (прибира́ть/прибра́ть), продукты на неделю (покупать/купить), да ещё к занятиям (готовиться/подготовиться).

2. — Путеше́ствие — приятная вещь!
   — Да, но подготовки много: чемодан (собирать/собрать), валю́ту (менять/поменять), страхо́вку (получать/получить), гостиницу (резервировать/зарезервировать).

3. — Люблю я переезжать. Как будто новая жизнь начинается!
   — Ну уж, ска́жешь тоже. Нашёл удовольствие: мебель (разбирать/разобрать), вещи (паковать/упаковать), всё это по лестнице (ста́скивать/стащи́ть), в машину (грузить/погрузить).

4. — Дорого́й, а не пойти ли нам на твой юбилей в какой-нибудь шикарный ресторан?
   — Не люблю я этих дорогих ресторанов: место (заказывать/заказать), костюм (надевать/надеть), галстук (повязывать/повязать). Тоже мне юбилей: ни повесели́ться, ни поговорить, ни выпить! Дома лучше.

МНЕ ЕЩЁ УЧИТЬСЯ ДВА ГОДА

— для выражения необходимости здесь используется инфинитивная конструкция.

21 ЗАДАНИЕ: Определите грамматическую форму субъекта при инфинитиве. Предложите другие варианты фразы с тем же смыслом.

22 ЗАДАНИЕ: В ответ на вопросы выразите необходимость действия, используя конструкцию с инфинитивом:

1. — Ты на каникулы куда-нибудь уезжаешь?
   — ...

2. — Уже 8 часов. Не знаешь, Оле́г идёт домой?
   — ...

3. — Вы свободны сегодня вечером?
   — ...

4. — Клиенты уже уходят?
   — ...

5. — Ты закончил уборку квартиры?
   — ...

6. — Рабочие достроили дачу?
   — ...

[1] Куча — *разг.* много.

ЧТО ТЕБЕ ОБЪЯСНЯТЬ?

— в этом примере для выражения *ненужности/бесполезности* действия используется инфинитив.

23 **ЗАДАНИЕ:** Определите грамматическую форму субъекта при инфинитиве и вид глагола. Каково интонационное оформление этой фразы? Каково значение слова *что*? Предложите другие варианты фразы с тем же смыслом.

24 **ЗАДАНИЕ: В ответ на вопросы выразите** *ненужность/бесполезность* **действия, используя конструкцию с инфинитивом.**

1. — Посоветуй, что мне написать И́горю?
   — ...

2. — Что бы подарить сестре на день рождения?
   — ...

3. — Как ты думаешь, сто́ит позвонить в это бюро путешествий?
   — ...

4. — А не помочь ли тебе Ко́ле: он отстаёт по английскому, а у него контрольная на носу?
   — ...

СТИЛИСТИКА

25 **Прочитайте следующие общие положения.**

Люди, владеющие каким-либо языком как родным, то есть **носители языка**, всегда выбирают при коммуникации (в зависимости от её целей и ситуации, в которой она происходит) определённый **стиль речи**. Например, при написании научного доклада аспирант будет придерживаться научного стиля, а в разговоре с ребёнком он изберёт иной, разговорный стиль. Поскольку параметры ситуации и цель коммуникации в данных случаях не одинаковы, различны оказались и стили речи. Кроме того, носитель языка может как говорить, так и писать, то есть пользоваться как письменной, так и устной речью, которые имеют свои особенности.

Наука об использовании языка и характеристиках стилей речи называется **стилистикой**.

Приступая к знакомству с **системой стилей русской речи**, следует иметь в виду, что реальная речь любого носителя языка является с т и л и с т и ч е с к и м а р к и р о в а н н о й и возникает на основе нейтральной[1] путём включения в неё стилистически окрашенных (маркированных) элементов.

---

[1] Вы познакомились с ней на начальном этапе изучения русского языка, поскольку именно на стилистически нейтральной речи строятся учебники русского языка для иностранцев.

24

Л.Ю. Скороходов, О.В. Хорохордина. ОКНО В РОССИЮ — 1

УРОК 1

Составляющие стилистически маркированной речи

стилистически маркированная речь	=	нейтральные языковые средства	+	стилистически маркированные языковые средства

Знакомство со стилями речи, правильное понимание и использование стилистически маркированной речи являются важнейшими показателями хорошего владения иностранным языком.

Понаблюдаем, как соотносятся нейтральные и стилистически маркированные элементы в следующих примерах.

Пример 1. *Людмила Михайловна — секретарша в одной крутой фирме.*

Нейтральные элементы
в, одна, фирма, Людмила

Стилистически маркированные элементы
Михайловна — стилистически маркированное произношение отчества: [*людмила михална*] (ср. нейтральное: [*михайлавна*];
секретарша — стилистически маркированный суффикс *-ш(а)* (ср. нейтральное: *секретарь* для женского и мужского рода);
крутая (фирма) — в данном значении прилагательное *крутой* стилистически маркировано (ср. нейтральное: *престижная* (фирма)).

Пример 2. *Моя одноклассница простой девчонкой была, тише воды, ниже травы, а теперь на последнем «лексусе» разъезжает, вилла на Лазурке.*

Нейтральные элементы
моя, одноклассница, простая, была, а, теперь, на

Стилистически маркированные элементы
девчонка — стилистически маркированный суффикс *-онк* (ср. нейтральное: *девочка, девушка*);
Лазурка — стилистически маркированное разговорное сокращение (ср. нейтральное полное: *Лазурный берег*);
тише воды, ниже травы — стилистически маркированный разговорный фразеологизм (ср. нейтральное: *тихая, скромная*)
на последнем «лексусе» — стилистически маркированное разговорное словосочетание (ср. нейтральное: *на последней модели автомашины «лексус»*)
разъезжает — стилистически окрашено (ср. нейтральное: *ездит*);
простой девчонкой была — стилистически маркированный порядок слов (ср. нейтральный: *Моя одноклассница была простой девчонкой*, поскольку в русском языке новая информация ставится в конце предложения).

26 ЗАДАНИЕ: Сравните стилистически нейтральную и разговорную фразы. Выделите стилистически маркированные (разговорные) элементы. Внесите результаты своих наблюдений в таблицу.

Нейтральная фраза
— Павел Иванович, муж врача, построил огромный трёхэтажный дом, заплатил за эту дачу довольно большие деньги, а теперь в ста метрах от неё прокладывается скоростная магистраль.
— Мне его проблемы кажутся неважными. Мои проблемы намного серьёзнее.

Разговорная фраза
— Пал Ваныч, муж-то врачихин, отгро́хал трёхэтажный доми́ще, вы́ложил за дачку эту деньги приличные, а теперь в ста метрах от неё магистраль скоростная прокладывается!
— Мне б его проблемы!

Уровень	Стилистически маркированные элементы	
	нет	есть
Фонетический		
Словообразовательный		
Морфологический		
Лексико-семантический		
Синтаксический		

РЕЧЕВАЯ ПРАКТИКА

ЧТО ЭТО У ТЕБЯ ЗА ПЯТНО?

Чтобы уточнить информацию **о каком-либо предмете или явлении, русские в разговорной речи часто используют конструкцию:**
что это (у кого) за + существительное в им. п.

— Что это у тебя за пятно на рубашке?
— Где? Это, наверное, от персика.

27 ЗАДАНИЕ: Восстановите первую реплику диалога, используя конструкцию что это за.

1. — ...
— Это наш старый друг. Он стилистом работает, поэтому так экстравагантно и одевается.

2. — ...

— Это не мобильник. Это электронная записная книжка. По размеру она чуть больше телефона, и многие их путают.

3. — ...

— Выражения как выражения. Мам[1], сейчас все так говорят.

4. — ...

— Скажешь тоже! Это не какая-нибудь колю́чка, а кактус редкого сорта. Мне друг из Чили привёз.

5. — ...

— Это портрет моего прадедушки. Он купцом был. Я на него немножко похож, правда?

6. — ...

— Это не студентка, а преподавательница. Просто она очень молодо выглядит.

ВОТ ТЕБЕ И КАПИТАЛИЗМ!

ТОЖЕ МНЕ УЧЁНЫЙ.

Обратите внимание, как русские выражают *разочарование*:

— *Обещали счастье и процветание для народа, а оно всё не наступает...*
— ***Вот тебе** и капитализм!*

— *Наш преп[2] за десять лет две статейки накропал[3], а получает надбавку к зарплате за научную работу.*
— ***Тоже мне** учёный.*

28

ЗАДАНИЕ: Выразите своё разочарование в ответ на реплику собеседника.

1. — Говорили, на приёме в посольстве французское шампанское подадут, а предложили белое вино сомнительного качества.
   — ...

2. — Когда мы были в Риме, нас в ресторане обсчита́ли, на вокзале обокрали.
   — ...

3. — Турбюро́[4] продало нам тур класса люкс с пятизвёздочным отелем, а когда приехали, гостиница и на две звезды не тянет[5].
   — ...

---

[1] Мам — *разг.* от *мама* (регулярно используется при обращении).
[2] Преп — *студенческий жарг.* — преподаватель.
[3] Накропал — *разг.* написа́л.
[4] Турбюро́ — *сокр.* от *туристическое бюро*.
[5] Не тянет — *разг.* от *тянуть* (на что?) — здесь: не соответствовать (чему?).

4. — А́нька по английскому отличницей в гимназии была, а в Лингвистический университет тест написать не смогла.

— ...

5. — Представляешь, Ю́рка Ле́нке на день рождения даже цвето́в не подарил, а ещё женихо́м себя считает.

— ...

6. — Москвичи своего мэра не выбирают, его теперь президент назначает. А обещали демократию.

— ...

> **ДА ТАК**
>
> **ДА НЕТ ЖЕ!**
>
> **ТАК ВОТ ОНО ЧТО!**
>
> **НАДО ЖЕ!**

ЗАДАНИЕ: Перечитайте фрагменты из разговора друзей.

⚷ 29

1. — Что такой хму́рый, Рома?
   — **Да так**, настроения нет.

2. — Ты что, с бабушкой и дедушкой живёшь?
   — **Да нет же**, стариками у нас вообще родителей называют.

3. — Отец безрабо́тный. Вот уже полгода как его архитектурную контору перекупили конкуренты. Всю старую гвардию разогнали. Старик обижен. Переживал он страшно.
   — **Так вот оно что.**

4. — Здесь закон что дышло: куда повернул, туда и вышло.
   — **Надо же!**

Скажите, какое из ответных выражений служит для:

   а) сообщения о том, что что-то сложное, неочевидное наконец-то стало понятно собеседнику;
   б) категорического отрицания, несогласия.
   в) неопределённого ответа;
   г) удивления.

⚷ 30 **ЗАДАНИЕ: Используйте одну из фраз в ответ на реплику собеседника:** *Да так; Да нет же!; Так вот оно что!; Надо же!*

1. — Что-то я давне́нько[1] вашего сына не вижу.
   — Так его уже два месяца как в армию забра́ли.
   — ...

---

[1] Давне́нько — *разг., уменьшит.* от *давно.*

Л.Ю. Скороходов, О.В. Хорохордина. ОКНО В РОССИЮ — 1

УРОК 1

2. — В семье Рома́на каждый вечер ца́рские ужины.
   — ...

3. — Знаешь, почему Фили́пп был так расстро́ен? Потому что при́нял близко к сердцу проблемы в семье друга.
   — ...

4. — Что ты ничего не покупаешь?
   — ... , денег нет.

5. — У Чертко́вых крутая тачка, а ни он, ни она нигде не работают.
   — ...

6. — Мне кажется, новыми бедными в России стали только лентя́и, а разбогате́ли те, кто не боится вкалывать.
   — ...

7. — Что Ко́ля сегодня не поёт?
   — Говорит, горло болит.
   — ...

8. — Ивано́вы говорят, что концы с концами не сводят, а сами дочь в Женеву учиться отправили.
   — ...

ТЕКСТ

31 **ЗАДАНИЕ: Просмотрите закон РФ о потребительской корзине и выполните задания.**

Комментарий:

Потребительская корзина — минимальный набор продуктов питания, непродовольственных товаров и услуг, необходимый для сохранения здоровья человека и обеспечения его жизнедеятельности.

ФЕДЕРАЛЬНЫЙ ЗАКОН РОССИЙСКОЙ ФЕДЕРАЦИИ ОТ 31 МАРТА 2006 Г. № 44-ФЗ «О ПОТРЕБИТЕЛЬСКОЙ КОРЗИНЕ В ЦЕЛОМ ПО РОССИЙСКОЙ ФЕДЕРАЦИИ»
(Опубликовано 4 апреля 2006 г.)

Принят Государственной думой 10 марта 2006 года
Одобрен Советом Федерации 24 марта 2006 года

Статья 1. Потребительская корзина для основных социально-демографических групп населения (трудоспособное население, пенсионеры, дети) в целом по Российской Федерации определяется не реже одного раза в пять лет и устанавливается в следующих составе и объёмах (в натуральных показателях):

1. Продукты питания

Наименование продукта	Единица измерения	Объём потребления (в среднем на одного человека в год)		
		трудоспособное население	пенсионеры	дети
Хлебные продукты (хлеб и макаро́нные изделия в пересчёте на муку, мука́, кру́пы, бобо́вые)	кг	133,7	103,7	84,0
Карто́фель	кг	107,6	80,0	107,4
Овощи и бахчевы́е	кг	97,0	92,0	108,7
Фрукты свежие	кг	23,0	22,0	51,9
Сахар и кондитерские изделия в пересчёте на сахар	кг	22,2	21,2	25,2
Мясопроду́кты	кг	37,2	31,5	33,7
Рыбопроду́кты	кг	16,0	15,0	14,0
Молоко и молокопроду́кты в пересчёте на молоко	кг	238,2	218,9	325,2
Яйца	штука	200,0	180,0	193,0
Масло растительное, маргарин и другие жиры	кг	13,8	11,0	10,0
Прочие продукты (соль, чай, специи)	кг	4,9	4,2	3,6

2. Непродово́льственные товары

Наименование продукта	Единица измерения	Объём потребления (в среднем на одного человека в год)		
		трудоспособное население	пенсионеры	дети
Верхняя пальто́вая группа	штук/лет	3/7,6	3/8,7	3/2,6
Верхняя костюмно-платьева́я группа	штук/лет	8/4,2	8/5,0	11/2,0
Бельё	штук/лет	9/2,4	10/2,9	11/1,8
Чуло́чно-носо́чные изделия	пар/лет	7/1,4	4/1,4	6/1,3
Головны́е уборы и галантере́йные изделия	штук/лет	5/5,0	4/5,6	4/2,8
Обувь	пар/лет	6/3,2	6/3,5	7/1,8
Школьно-письменные товары	штук/лет	3/1,0	3/1,0	27/1,0
Постельное бельё	штук/лет	14/7,0	14/7,0	14/7,0
Товары культурно-бытового и хозяйственного назначения	штук/лет	19/10,5	19/10,5	19/10,5
Предметы первой необходимости, санитари́и и лекарства	%[1]	10	15	12

[1] Процент общей величины расходов на непродовольственные товары в месяц.

3. Услу́ги

Наименование продукта	Единица измерения	Объём потребления (в среднем на одного человека в год)		
		трудоспосо́бное население	пенсио́неры	дети
Жильё	кв. м общей площади	18	18	18
Центральное отопление	Гкал в год	6,7	6,7	6,7
Холодное и горячее водоснабже́ние	литров в сутки	285	285	285
Газоснабже́ние	куб. м в месяц	10	10	10
Электроэне́ргия	кВт/ч в месяц	50	50	50
Транспортные услуги	поездок в год	619	150	396
Услуги культуры	%[1]	5	5	5
Другие виды услуг	%[1]	15	15	15

[1] Процент общей величины расходов на услуги в месяц.

Статья 2.

1. Настоящий Федеральный закон вступает в силу со дня его официального опубликования.

2. Действие настоящего Федерального закона распространяется на правоотношения, возникшие с 1 января 2005 года.

Президент Российской Федерации В. Путин
Москва, Кремль
31 марта 2006 года

Наполнение потребительской корзины постоянно меняется, для получения свежих данных обращайтесь к интернет-сайту официального правительственного печатного органа «Российская газета», набирая в поисковике «Федеральный закон о потребительской корзине»

РЕЧЕВАЯ ПРАКТИКА

32

ЗАДАНИЕ: Расскажите, что входит в потребительскую корзину россиянина. Используйте, например, такие конструкции:

- *Российская потребительская корзина состоит из...*
- *В потребительскую корзину россиянина входят...*

33

ЗАДАНИЕ: Просмотрите раздел «Продукты питания» закона о потребительской корзине и ответьте на вопросы.

1. Каких продуктов больше всего потребляют россияне?
2. Рацион вашего соотечественника включает те же продукты, что и рацион россиянина?
3. Чего больше/меньше потребляют ваши соотечественники?
4. А вы сами питаетесь так же?

Используйте в своих ответах сравнительные конструкции.

• *В то время как русские потребляют больше ... , люди моей страны предпочитают ...*

• *Русские любят ... , в то время как жители моей страны ...*

• *Если русским нужно больше ... , то нашему потребителю ... нужно в меньшем количестве.*

• *Если мы тра́тим на ... больше, то русским требуется на ... меньше.*

• *Наше традиционное питание отличается от питания русского тем, что...*

• *Что касается ... , то показатели потребления почти не отличаются.*

ТЕКСТ

34

ЗАДАНИЕ: Прочитайте текст, датированный 30 мая 2008 г. Обратите внимание: в бытовой традиции принято делить людей на бедных, средних и богатых, но статистика — точная наука, и она делит людей на пять групп.

БЕДНОСТЬ ОТСТУПАЕТ, НО СРЕДНИЙ КЛАСС — ПО-ПРЕЖНЕМУ В ДЕФИЦИТЕ

Всероссийский центр изучения общественного мнения (ВЦИОМ) представил данные о том, как менялись оценки россиянами собственного **материального положения** за последние 11 лет. Для этого всех опрашиваемых разделили на пять групп:

нищих — тех, кому денег не хватает даже на продукты;

бедных — тех, кому на еду хватает, а на одежду — с трудом;

«предсредний» слой — тех, кому хватает на еду и одежду, но не хватает даже на недорогую бытову́ю технику;

«средний класс» — тех, кому денег хватает на всё, кроме действительно дорогих вещей (машины, квартиры, дачи);

и **богатых** — тех, кто не ощущает никаких материальных ограничений.

В мае 1998 г. (накануне августовского дефолта[1]) к **самой бедной группе населения** себя относили 28 % опрошенных; в мае 1999 г. эта группа заметно увеличилась — до 37 %, однако уже в мае 2000 г. вновь сократилась до 29 %. В последующие годы эта беднейшая группа продолжала сокращаться: до 21–22 % в 2001–2002 гг., 15–16 % в 2003–2004 гг., 11–13 % в 2005–2007 гг. и достигла минимального объёма — 7 % — в 2008 г.

Группа «просто бедных» россиян, у которых на продукты средств хватает, но покупка одежды вызывает финансовые затруднения, с мая 1998 г. по май

---

[1] Августовский дефолт: 17 августа 1998 года в результате финансового кризиса Россия объявила о своей неспособности выплачивать внутренние и внешние долги, в результате рубль по отношению к доллару обесценился, уровень жизни россиян резко упал.

1999 г. практически не изменилась (был 41 %, стало 39 %). Уход её части в результате финансового кризиса 1998 г. в беднейшую группу компенсировался пополнением из более обеспеченных слоёв населения. Данная группа максимально разрослась к маю 2001 г., когда к ней себя относил каждый второй респондент (47 %). В последующие годы эта группа сокращалась: до 39 % в 2002–2003 гг., 34–36 % в 2004–2006 гг., 28 % в 2007 г. В 2008 г. эта группа составила четверть населения страны — 24 %.

К третьей **группе россиян, которым денег хватает на продукты и одежду, однако приобретение вещей длительного пользования (телевизора, холодильника и т. п.) для которых проблематично**, в мае 1998 г. принадлежали 24 % опрошенных. После дефолта эта группа немного (на 4 %) сократилась. Затем стала увеличиваться и к маю 2008 г. сделалась самой многочисленной, составив половину населения страны — 51 %.

Четвёртая группа респондентов — **«средний класс»**, который без проблем может приобретать вещи длительного пользования, но для которого затруднительно покупать действительно дорогие вещи (например, автомобиль), в 1998 г. составляла 7 %, в 1999–2000 гг. к этой группе себя относили лишь 4 % опрошенных, в последующие годы группа постепенно увеличивалась и в 2008 г. насчитывала уже 16 %.

Последняя **группа опрошенных, способных себе позволить довольно дорогостоящие вещи — квартиру, дачу и многое другое** — на протяжении всех лет исследований не превышает 1 % населения.

Покупательские возможности тем выше, чем моложе респонденты и чем выше уровень их образования. К двум первым группам себя относят от 18–19 % опрошенных моложе 35 лет до 57 % респондентов 60 лет и старше, к 4-й и 5-й группам — 21–24 % представителей молодого поколения и лишь 4 % — старшего.

В двух группах с низким покупательским статусом 17 % опрошенных имеют высшее и незаконченное высшее образование, 58 % — образование ниже среднего, в 4-й и 5-й группах соответственно 28 % и 3 %.

Всероссийские опросы ВЦИОМ проводились в 1998–2008 гг. Опрашивалось по 1600 человек в 153 населённых пунктах в 46 областях, краях и республиках России. Статистическая погрешность не превышает 3,4 %.

http://wciom.ru/

ЗАДАНИЕ: Ответьте на вопросы и выполните задания.

35

1. На какие группы можно разделить россиян по их материальному положению? Назовите некоторые критерии оценки материального уровня жизни каждой из социальных групп. Сравните структуру российского общества со структурой общества вашей страны, отметьте совпадения и различия.

2. Как на протяжении 1998–2008 годов менялось число россиян, относящих себя к каждой из групп с точки зрения материального положения? Как бы вы оценили динамику социального расслоения в вашем обществе? Совпадают ли российские тенденции с тенденциями развития вашего общества?

3. Существует ли связь между возрастом россиян, их образованием и их материальным положением? А в вашей стране эти факторы взаимосвязаны так же, как и в России?

4. Вспомните, что говорится в разговоре друзей (задание 1) о социальном расслоении российского общества, и сравните эти сведения с информацией, которую вы получили из текста в задании 34. Можно ли сказать, что информация из этих двух источников одинакова? Подтвердите своё мнение примерами.

5. Составьте диалоги на тему «Социальное расслоение общества», используя выражения из заданий 30–33.

ЛЕКСИКА

36 **ЗАДАНИЕ: Прочитайте список номинаций и распределите их на пять групп в соответствии с классификацией людей по уровню их обеспеченности (см. задание 34). Подчеркните те номинации, которые имеют экспрессивно-оценочный характер.**

Нищие; люди среднего достатка; обеспеченные люди; малоиму́щие; середняки́; богачи; люди со скромными/низкими доходами; люди с приличными доходами; нувориши; люди с низким уровнем обеспеченности; бедняки; люди с довольно высокими доходами; средний класс; люди скромного/низкого достатка; состоятельные люди; богатые; бедные; новые русские; люди, живущие за чертой бедности.

37 **ЗАДАНИЕ: Выберите подходящую номинацию из предыдущего задания. Укажите варианты.**

1. Семьи ... россиян с большим трудом находят деньги, чтобы оплачивать коммуна́льные услуги.
2. У ... считается хорошим тоном менять автомобиль минимум раз в год.
3. В некоторых столичных ресторанах стоимость ужина превышает месячный бюджет ... семьи.
4. Служащих банка теперь относят к числу людей ... .
5. ... любят часто ездить на отдых за границу, и многие из них стремятся приобрести недвижимость за рубежом.
6. Подавля́ющее большинство ... предпочитает жить в Москве, поскольку именно здесь они могут вести образ жизни, сравнимый с европейским.
7. Перед ... россиянами не стоит проблема заполнения налоговой декларации.
8. Задача правительства — увеличить ... класс, снизив гипердоходы ... и подняв достаток ... .

ТЕКСТ

Русские любят посмеяться над собой. Каждый день появляются короткие истории, которые очень быстро распространяются между людьми.

38 **ЗАДАНИЕ: Прочитайте несколько «свежих» анекдотов на тему социального расслоения в России.**
А. Скажите, к какой группе населения вы бы отнесли героев каждой из первых трёх шуток. Аргументируйте своё решение.

Первый анекдот

— Доктор, вы не могли бы изменить систему приёма лекарства?
— Как это?
— Вы мне выписали по одной таблетке четыре раза в день после еды́, а я бы хотел по две таблетки два раза в день.
— Почему?
— Еды на четыре раза не хватает.

Второй анекдот

Самая социально незащищённая прослойка населения — безработный москвич. По статистике, больше всего уго́нов иномарок премиум-класса происходит именно у них.

Комментарий:

Иномарка премиум-класса — престижная автомашина иностранного производства.

Третий анекдот

Дочь нового русского пишет сочинение: «Жила одна очень бедная семья. Дочка у них была такая бедная-бедная... И папа с мамой были бедные-бедные... И шофёр у них был очень бедный... И прислуга была совсем бедная...»

Б. Прокомментируйте шутку, которая отсылает к начальной фразе романа Льва Толстого «Анна Каренина», ставшей афоризмом:

«Все счастливые семьи похожи друг на друга, каждая несчастливая семья несчастлива по-своему».

Четвёртый анекдот

Все бедные семьи бедны одинаково, каждая богатая семья богата по-своему!

РЕЧЕВАЯ ПРАКТИКА

39 **ЗАДАНИЕ: Обсудите со своими согруппниками проблему взаимоотношений представителей разных социальных слоёв.**

1. Помните, как Филипп в разговоре с Романом сказал: «Да... *Социа́льное нера́венство — проблема ве́чная, и, как говорят русские, сытый голодного не разуме́ет*». Вы разделяете точку зрения Филиппа? Действительно ли богатым и бедным трудно понять друг друга? В стране, где вы живёте, это тоже так? Подтвердите свою точку зрения примерами из прочитанных текстов и личного опыта. Какое объяснение таким фактам вы бы могли предложить?

2. Каковы в представлении жителей вашей страны типичный богач и типичный бедняк? Отличаются ли они друг от друга своей манерой одеваться, своим образом жизни, своими профессиями, возрастом, происхождением? Они чем-то похожи на российских нуворишей и людей, живущих за чертой бедности?

РОССИЯ ГЛАЗАМИ ИНОСТРАНЦА

Вы ещё не знаете, что в Харбине у Филиппа есть друг, которого зовут Синь и который тоже изучает русский язык. Филипп хочет поделиться с ним своими впечатлениями о России.

40 **ЗАДАНИЕ: Что Филипп узнал о жизни в России из разговора с Романом, из текстов, которые он читает в Интернете, и из услышанных русских анекдотов? Что он расскажет Синю: а) по телефону / по «Скайпу»; б) что он напишет Синю в личном письме, которое отправит по электронной почте (мейлу)?**

ТЕКСТ

41

ЗАДАНИЕ: Прочитайте текст и рассмотрите диаграммы.

Комментарий и особенности произношения:
ВВП — внутренний валовый продукт; произносится: [вэвэпэ]
МРОТ — минимальный размер оплаты труда; произносится: [мрот]
прожиточный минимум — сто́имостная оценка потребительской корзины, а также обязательные платежи и сборы (учитывается при установлении минимального размера оплаты труда, пенсий по старости, при определении размеров стипендий, пособий и др.).

Вспомним, как читаются дробные числа:

8,9 млрд рублей = восемь *целых* **девять** *десятых* миллиард*а* рублей
6,32 млрд рублей = шесть *целых* тридцать **две** *сотых* миллиард*а* рублей
4,437 млрд рублей = четыре *целых* четыреста тридцать **семь** *тысячных* миллиард*а* рублей
сколько? (*одна, две* — **жен. род**) *целых* сколько? (*одна, две* — **жен. род**) *десятых/сотых/тысячных* + чего? (миллион*а*, миллиард*а*, процент*а* и т. д. — **род. падеж ед. число**)

ГОСДУМА[1] ПОПРАВИЛА БЮДЖЕТ-2008 И УВЕЛИЧИЛА МРОТ

внести / принять законопроект (закон)

расходы *на что?*
меры по защите
социальная защита населения

одобрить поправки в закон *о чём?*
прожиточный минимум

Госдума приняла в первом чтении весь пакет бюджетных законопроектов, внесённых правительством.

Таким образом, законодатели согласились с увеличением расходов бюджета-2008 на дополнительные меры по социальной защите населения. Итак, 8,9 млрд рублей пойдут на обеспе́чение жильём ветеранов и инвалидов Великой Отечественной войны и приравненных к ним категорий граждан, нуждающихся в улучшении жилищных условий, 6,32 млрд рублей — на выплату базовой части трудовой пенсии, 4,437 млрд рублей — на обеспечение машинами инвалидов, 700 млн — на увеличение размеров отдельных видов пособий, компенсаций и других социальных выплат. Дополнительные ассигнования в размере 49,5 млрд рублей пойдут также на поддержку сельского хозяйства.

Госдума также одобрила поправки в закон о МРОТ, впервые в истории новой России приравнивающие его ставку к величине прожиточного минимума трудоспособного населения. С 1 января 2009 года МРОТ должен быть повышен с 2300 до 4330 рублей в месяц.

По материалам «Российской газеты» от 16.06.2008

Предлагаемые ниже диаграммы, отражающие основные показатели социально-экономического развития Российской Федерации, взяты с сайта:
www.er-duma.ru

---

[1] Го́сду́ма — *сокр. от Госуда́рственная дума* — нижняя палата российского парламента.

1. Минимальный размер оплаты труда (МРОТ)
(руб. в месяц)

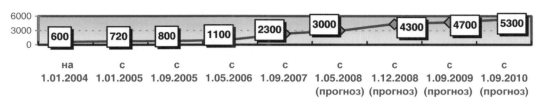

600	720	800	1100	2300	3000	4300	4700	5300
на 1.01.2004	с 1.01.2005	с 1.09.2005	с 1.05.2006	с 1.09.2007	с 1.05.2008 (прогноз)	с 1.12.2008 (прогноз)	с 1.09.2009 (прогноз)	с 1.09.2010 (прогноз)

2. Основные параметры федерального бюджета РФ на 2008—2010 годы
(млрд рублей)

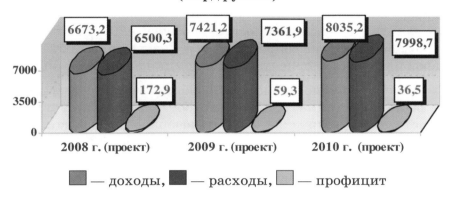

■ — доходы,   ■ — расходы,   ▢ — профицит

3. Среднемесячная заработная плата
(руб. в месяц)

4. Средний размер пенсии
(руб. в месяц)

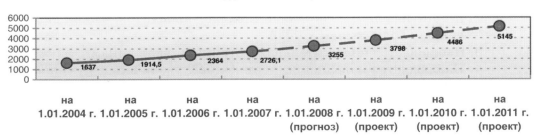

37

5. Валовый внутренний продукт
(млрд рублей)

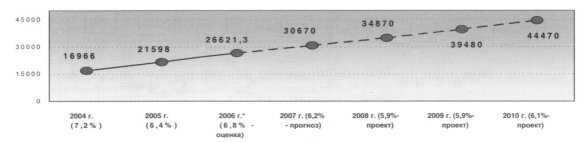

- В январе 2007 г. рост ВВП относительно соответствующего периода прошлого года заметно ускорился. Относительно января 2006 г. прирост составил **6,2 %**. Экономический рост сопровождается уменьшением объёма экспортных поставок и усилением ориентации экономики на внутренний спрос.

- Позитивное влияние на динамику экономического роста оказывает ускорение роста инвестиций, продукции строительства, устойчивый рост торговли, существенное увеличение обрабатывающих производств. В январе 2007 г. темпы прироста инвестиций относительно января 2006 г. составили **23,2 %** (в январе 2006 г. — 3,6 %), прирост в строительстве составил **29,8 %** (в январе 2006 г. имел место спад на 7,5 %), прирост оборота розничной торговли составил **13,5 %** (против 10,8 % в январе 2006 г.), прирост обрабатывающих производств в январе 2007 г. составил **17,3 %** (против 4,1 % в январе 2006 г).

- Рост производства в январе 2007 г. вызван ростом в сферах добычи полезных ископаемых за счёт благоприятной внешнеэкономической конъюнктуры рынка топливно-энергетических ресурсов и роста внутреннего спроса, а также ростом металлургических, обрабатывающих и химических производств.

- Увеличение оборота розничной торговли в январе 2007 г. вызвано устойчивым ростом реальных денежных доходов населения и реальной заработной платы, активностью банков на рынке потребительского кредитования.

6. Инфляция (индекс потребительских цен, %)

42   **ЗАДАНИЕ: Прокомментируйте диаграммы, используя конструкции типа:**

1. *Когда?* рост объёмов *чего?* / снижение темпов *чего?* относительно соответствующего периода прошлого года заметно увеличился /увеличилось.

2. *Когда?* инфляция составила *сколько?* процентов, что *на сколько процентов?* меньше / больше, чем *когда?*

3. Наблюдается положительная / отрицательная динамика роста ВВП.

4. Наблюдается повышение / снижение / увеличение / уменьшение размера / масштабов / объёма / уровня *чего?*

5. Средний размер зарплаты / пенсии постоянно повышается/понижается, в результате *когда?* он достиг *скольких?* рублей.

РЕЧЕВАЯ ПРАКТИКА

43

ЗАДАНИЕ: Ответьте на вопросы, используя предложенные начала фраз.

1. Кто готовит проект бюджета и других законов РФ и кто его утверждает?
— *По законодательству РФ, ...*

2. В проекте бюджета РФ на 2008—2010 годы расходы запланированы выше или ниже доходов?
— *Как свидетельствует диаграмма №... , ...*

3. Почему падение цен на нефть для россиян является нежелательным событием?
— *Как известно, ...*

4. Выделены ли на какие-то нужды в 2008 году из федеральной казны дополнительные ассигнования?
— *Да, например, ...*

5. Является ли бюджет РФ законом, не допускающим внесения никаких поправок?
— *Нет. Так, в июне 2008 года...*

6. Всегда ли в России ставка МРОТ приравнивалась к величине прожиточного минимума трудоспособного населения?
— *Как сообщают СМИ, ...*

7. Многое ли изменилось в России за годы постсоветских реформ?
— *Действительно, ...*

8. Одинаковы ли основные показатели социально-экономического развития РФ в разные годы?
— *Как убедительно показывают диаграммы, ...*

9. В экономике Российской Федерации наблюдается рост, спад или застой?
— *Согласно статистическим данным, ...*

10. Какое впечатление у вас сложилось о социально-экономической ситуации в России?
— *На первый взгляд кажется, что... Однако...*

44

ЗАДАНИЕ: Продолжите высказывания:

1. За период с 2004 по 2008 годы ВВП РФ удвоился. *В итоге...*

2. В мире существует миф о всё ещё глубоком кризисе в экономике России, однако диаграммы свидетельствуют об ином: *в целом...*

3. Средний размер пенсии в 2004 году составлял 1637 рублей, в то время как в 2008 году он достиг уровня 3255 рублей, а в 2011 году он будет равняться 5145 рублям. *Иными словами, ...*

45

ЗАДАНИЕ: Поставьте слова из скобок в подходящую форму, добавляя при необходимости предлоги.

1. Несколько заседаний Госду́мы было посвящено обсуждению (проект бюджета) (будущий год).

2. Разница (думские депутаты) и (члены правительства) состоит в том, что думцы обладают (депутатская неприкоснове́нность).

3. Судя (данные статистики), повышение зарплаты не успевает за ростом инфляции.

4. Проблема (то), что правительство не располагает (эффективные средства) борьбы с коррупцией.

5. Дополни́тельные средства будут выделяться (нужды) социальной сферы.

6. Впервые (история) новой России с 1 января 2009 года ставка МРОТ приравнивается (величина) прожиточного минимума трудоспособного населения.

7. Денежное дово́льствие военнослужащим повысится (20 %), а их численность снизится (30 %).

8. В этом году по сравнению (тот же период) (прошлый год) продолжал наблюдаться рост сельхозпроизво́дства[1].

9. Европейские страны заинтересованы в скорейшем выходе России (кризис).

10. Как выяснилось (ход) опроса, многие россияне обеспоко́ены (разрушение) системы социальной защиты.

СЛОВООБРАЗОВАНИЕ

ПЛАТИТЬ

В наших текстах многократно встречались слова с корнем *-плат-/-плач-*.
Рассмотрим особенности употребления этой группы слов.

1. платить/ заплатить	кому? чему? за что? где?	продавцу/агентству за покупку в кассе
2. оплачивать/ оплатить	что? где?	покупку в кассе
3. выплачивать/ выплатить	что? кому? чему? где?	стипендию студентам/фирме в университете

При употреблении глагола *выплачивать/выплатить* **имеется оттенок обязательности выдачи кому-либо полагающихся денег: например,** *администрация, бухгалтерия, государство* **и пр. выплачивает** *стипендии, зарплаты, пенсии, долг, кредит.*
К этим трём глаголам следует добавить ещё три возвратных:

4. расплачиваться/ расплатиться	с кем? с чем? за что? за кого? где? кто?	с продавцом / со школой за покупку / за сына в кассе клиент
5. оплачиваться может	что? где?	покупка в кассе
6. выплачиваться может	что? кому? / чему?	премия служащим банка / банку

---

[1] Сельхо́зпроизво́дство — *сокр. от* сельскохозя́йственное произво́дство.

ЗАДАНИЕ: Вставьте в предложения подходящее по смыслу слово с корнем *-плат-*. **Учтите, что в некоторых случаях возможны варианты.**

46

1. Забыв кошелёк дома, А́нна Ива́новна не смогла ... за покупки и вернулась домой очень собой недовольная.

2. Победившим в конкурсе ... денежные призы или вручаются ценные подарки.

3. Организаторы конкурса ... победителям денежные призы или вручают ценные подарки.

4. Занимать места можно только тем, кто ... билеты.

5. Сначала государству следовало бы ... с долгами по зарплате, а потом планировать дорогостоя́щие проекты вроде Олимпийских игр в Сочи.

6. Извините, я не могу принять у вас деньги, у нас в торговом центре все покупки ... в кассе, там, справа.

ПЛАТА

От глаголов с корнем *-плат-* **образованы существительные** *выплата, зарплата, расплата, оплата, плата, платёж* **(мн. число** *платежи́*).

ЗАДАНИЕ: Посмотрите их значение в толковом словаре, а затем дополните ими предложения.

47

1. Получив ... и премию, Ниночка тут же купила тур и махнула на курорт в Черного́рию.

2. В Казани ... труда работников значительно ниже, чем в столице страны.

3. Банк «Процвета́ние» никогда не спешил с ... дивидендов акционерам, в результате чего клиенты потихоньку перетекали в банки-конкуренты.

4. Какова ... за день проживания в вашей гостинице?

5. «Ты никогда больше не увидишь свою дочь — такой будет твоя ... за неве́рность», — заявила жена изменившему ей мужу.

6. Государство задерживает текущие ... аптечным сетям, поэтому пенсионеры-льготники не могут в срок получить бесплатные лекарства.

ТЕКСТ

48

ЗАДАНИЕ: ознакомьтесь с результатами опросов россиян о проблемах в стране.

Комментарий и особенности произношения:

ЖКХ — жилищно-коммунальное хозяйство (сектор экономики, занимающийся подачей газа, воды, электричества, отопления в дома, вывозом бытовых отходов (мусора), благоустройством прилежащих к домам территорий и т. п.); произносится: [жэкаха].

ЧТО РОССИЯНЕ СЧИТАЮТ ГЛАВНОЙ ПРОБЛЕМОЙ В СТРАНЕ?

в ходе
всероссийского опроса

Основной проблемой России 52 % опрошенных граждан назвали коррупцию. Такие данные были получены в ходе репрезентативных всероссийских опросов.

вызывать обеспокоенность

россиян волнует высокий уровень цен

Далее по частоте упоминаний идут следующие проблемы, вызывающие обеспокоенность россиян: состояние дорог — 28 %; низкий уровень жизни — 24 %; бюрократия — 18 %; преступность — 9 %; инфляция — 3 %; безработица — 2 %. Среди других проблем более всего россиян волнует высокий уровень цен на продовольственные продукты и на услуги **ЖКХ**.

http://www.maybe.ru/play/eruditor.php?pg=16807

по опросам

⊞страна**Ru**

Страна.Ru много писала о том, что, по всем опросам самых разных исследовательских организаций, россияне считают главной проблемой современной России коррупцию. Вначале опрашиваемые корреспондентами эксперты недоумевали и списывали всё на неточность методики социологов. Однако вскоре тенденция обозначилась слишком ярко.

ярко обозначилась тенденция
вертикаль власти
отражается на безопасности
произошёл скачок цен на продукты

Россияне чувствуют, что в стране коррупция пронизывает всю вертикаль власти. И это отражается не только на безопасности, но и на экономике.

Произошедший осенью 2007 года скачок цен на продукты, как утверждают все чиновники и эксперты, был связан со сговором поставщиков. Однако из-за чего это произошло? Обвинять Федеральную антимонопольную службу никто не стал: там работают вполне компетентные люди. Приходится констатировать, что виной если не всему, то многому — коррупция.

приходится констатировать, что

проблема огосударствления экономики

Хотя есть и другая проблема — проблема огосударствления экономики.

приносить пользу государству

Активное участие власти в экономике никогда ещё ни одному государству не приносило пользы. История России это доказала наглядно. Негативные тенденции монополизации (причём как экономической, так и политической — они всегда взаимосвязаны) видны и сегодня — хотя бы по тому же повышению цен. Или по тому, что за достаточно долгий период подъёма цен на нефть так и не удалось ни качественно улучшить жизнь россиян, ни отвязать экономику от нефтяного сектора.

подъём цен на нефть
отвязать экономику от нефтяного сектора

Михаил Рубин
10 октября 2007 г., www.strana.ru

Л.Ю. Скороходов, О.В. Хорохордина. ОКНО В РОССИЮ — 1

УРОК 1

РЕЧЕВАЯ ПРАКТИКА

49 **ЗАДАНИЕ: Просмотрите ещё раз тексты в заданиях 41 и 48, диаграммы на стр. 37, 38 и комментарии к ним. Выберите информацию о достижениях России в последнии годы и проблемах, которые беспокоят россиян. Заполните схему.**

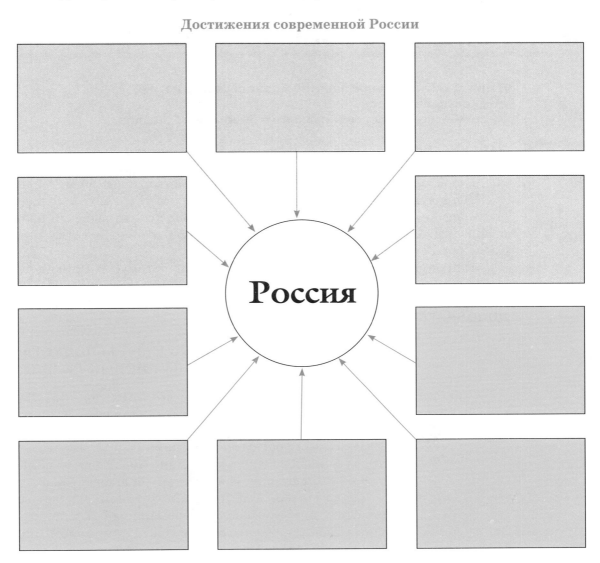

Достижения современной России

Россия

Проблемы современной России

50 **ЗАДАНИЕ: Выскажите своё мнение о социально-экономическом положении в России, используя информацию, которую вы получили из текстов этого урока.**

1. Какие положительные тенденции наметились в экономической и социальной сферах в России? Подтвердите своё мнение конкретными цифрами и фактами.

2. На основании схемы, которую вы заполнили в задании 49, оцените ситуацию в России в настоящее время, очертите круг наиболее острых социально-экономических проблем, стоящих перед ней.

3. Сравните социально-экономическую ситуацию в России и в вашей стране. Существуют ли проблемы, аналогичные российским, в развитых странах? А в

развивающихся? Сравнимы ли масштабы проблем в этих странах с масштабами российских проблем? Проиллюстрируйте свой ответ примерами.

4. Как сказывается экономическое положение в России на жизни рядовых граждан?

5. Должна ли Россия в своём развитии следовать западным социально-экономическим моделям или же искать свой собственный путь?

ЗАКЛЮЧИТЕЛЬНОЕ ДОМАШНЕЕ ЗАДАНИЕ

Наше заключительное занятие будет состоять из:
а) **дискуссии (1 час);**
б) **сочинения (1 час) минимальным объёмом в 250 слов.**

51

ЗАДАНИЕ: Подготовьтесь к заключительному занятию:

1) повторите изученный лексический и грамматический материал;

2) прочтите дополнительные тексты, если хотите узнать больше;

3) сформулируйте вопросы, которые вы бы хотели вынести на обсуждение в заключительной дискуссии на тему «Социальное неравенство — вечная проблема общества?»;

4) продумайте (напишите) план сочинения на тему «Россия на пути возрождения».

ДОПОЛНИТЕЛЬНЫЙ ТЕКСТ 1

РОССИЙСКИЕ МИЛЛИАРДЕРЫ ПОДУСТАЛИ ОТ ЯХТ И ЛАЗУРКИ И ИЩУТ НОВЫХ РАЗВЛЕЧЕНИЙ

Российские миллиардеры подустали от яхт, Лазурки (Лазурный берег Франции), позолоченных самолётов и старинных замков и ищут новых развлечений.

Про самого богатого россиянина и по совместительству бывшего губернатора Чукотки Романа Абрамовича всё давно известно. Любит он футбол. И ничего ему больше не надо.

Глава Интерроса Владимир Потанин обожает всё, что связано с водой. К примеру, экстремальный аквабайк. Даже детей своих увлёк. И стала его дочь Настя чемпионом мира по этому виду спорта, а сын Иван — чемпионом России. А вообще-то, Потанин предпочитает всё своё свободное время с семьёй проводить. Так что это наш «самый семейный миллиардер».

Другое дело совладелец «Норильского никеля» Михаил Прохоров — самый желанный из круга российских миллиардеров. На сорокалетнего холостяка ведётся охота. Прохоров таким обожанием пользуется не без удовольствия. Возит девушек за собой по всему миру, но жениться никому не обещает. Страсть имеет, но — пока только к баскетболу, в который играет давно и с удовольствием. Поговаривают, что он даже стал совладельцем баскетбольной команды.

А вот глава «Базового элемента» Олег Дерипаска по вкусам своим — подлинный балетоман. Но, отдав дань классике, не чужд он и фантазийности: манера одеваться его крайне причудлива. На всех бизнес-мероприятиях одет магнат прямо-таки с иголочки. Но, утверждают злые языки, как к чиновникам идти, так выбирает нарочито небрежные, если не сказать поношенные, костюмы. Видно, не хочет чиновников модным прики́дом расстраивать.

Ещё один из десятки самых богатых в России — глава «Альфа-Групп» Михаил Фридман. У него странностей хоть отбавляй. По рассказам, он предпочитает большую часть времени ездить по Москве без водителя — за рулём своей седьмой модели БМВ. Неподалёку от Патриарших прудов Фридман открыл небольшой ресторан только для своих. По вечерам там встречаются его коллеги и приятели. Играет лёгкий джаз. Михаил Маратович иногда выходит к фортепиано, чтобы наиграть какую-нибудь приятную мелодию. Есть у него и другое хобби. Импонирует владельцу «Альфа-Групп» философия самураев. Ищет он в ней, наверное, успокоения от нелёгких трудовых будней. Как только в тусовке об этом прослышали, стали Фридману на все праздники мечи самурайские дарить. А ведь меч настоящий найти ох как непросто! Япония уже который год все свои мечи, разошедшиеся по миру, пытается на историческую родину вернуть. Но друзья Фридмана — люди шустрые. Они, если что, из дворца японского императора меч выкупят, лишь бы друга дорогого порадовать.

Так что Лазурка — это как-то простовато, надо искать новые горизонты.

Источник: http://www.metallpress.ru/content/30496.html

ДОПОЛНИТЕЛЬНЫЙ ТЕКСТ 2

Игорь Ирте́ньев — поэт, оперативно откликающийся на политические и общественные события в стране. Его ироничные стихотворения еженедельно публикуются, в частности, на интернет-портале gazeta.ru и пользуются большой популярностью.

Прочитайте стихотворение И. Ирте́ньева «Бизнес-тост» и комментарий к нему. Какое впечатление о российском бизнесе вообще и о типичных российских бизнесменах складывается на основании этого стихотворения? Найдите в русском Интернете информацию о русском бизнесе и бизнесменах и сравните со стихотворением И. Ирте́ньева. Скажите, стремился ли поэт создать серьёзный и объективный образ российского бизнеса и российского бизнесмена? В чём смысл этого стихотворения?

45

Дню российского предпринимателя посвящается

БИЗНЕС-ТОСТ

Пью, друзья, за русский бизнес,
Что с годами не зачах,
Сколько ж он, сердешный, вынес
На своих литых плечах.

С каждым годом вырастая,
Приобрёл цивильный вид.
Где с гимнастом цепь златая?
Где малиновый прикид?

Выглядит теперь иначе
Деловой наш человек,
Он в костюме от «Версачи»
И в котлах «Филипп Патек».

Он к закону стал лояльней,
Чуть чего не лезет в раж,
На хрена ему паяльник,
Если рядом арбитраж,

Где свои сидят ребята,
Сплошь с холодной головой,
Те, с которыми когда-то
Начинал он бизнес свой.

И подвергнется зачистке
Оборзевший конкурент
Быстро, чётко, по-чекистски
В точно выбранный момент.

Профессиональные праздники, такие как *День учителя, День танкиста, День студента, День печати* и т. п., ввели в СССР, где был культ трудящихся, они популярны в России и сегодня. 26 мая 2008 года впервые отмечался новый профессиональный праздник — День российского предпринимателя.

Бизнес-тост — слово, образованное по распространённой в последнее время в русском языке словообразовательной модели, ср.: *бизнес-класс, бизнес-ланч, бизнес-меню*, где *бизнес* означает высокое качество и престижность. Здесь: тост за бизнес.

зачах — от *зачахнуть*, здесь: *разг.* погибнуть.

сердешный *(разг.)* — о человеке-страдальце, вызывающем сердечное сочувствие; **вынести на своих плечах** — пережить большие трудности; **литые плечи** — крепкие плечи, как у спортсменов, намёк на культ силы в среде бизнесменов; в результате фраза **Сколько ж он, сердешный, вынес на своих литых плечах** звучит саркастически.

цивильный вид — вид человека, одетого со вкусом (от *цивилизованный*).

прикид *(арго)* — одежда.

с гимнастом цепь златая; малиновый прикид — намёк на типичный облик бандита-бизнесмена начала 90-х годов: **малиновый пиджак, золотая цепь** на шее и на ней — крест с распятием Иисуса Христа (см. афишу комедии о бизнесменах-бандитах «Жмурки» на стр. 47); гимнаст — здесь: распятый Иисус Христос, аллюзия на анекдот о бескультурье бандитов-бинесменов: «Новый русский выбрал в похоронном бюро крест на могилу другу и говорит служащему, показывая на распятие Иисуса Христа: "А гимнаст здесь зачем?"»; **цепь златая** — цитата из поэмы А.С. Пушкина «Руслан и Людмила»: «У Лукоморья дуб зелёный, / Златая цепь на дубе том»; в разговорном языке слово *дуб* (название дерева) имеет переносные значения: 1. крепкий, мускулистый мужчина; 2. *(ирон. и ругательное)* глупый, необразованный человек. В результате пушкинская цитата становится иронической характеристикой бизнесмена-бандита 90-х годов, главными чертами которого россияне считают крепкое телосложение, агрессию, полное отсутствие интеллекта и демонстрацию своего богатства, например через золотые цепи на шее.

в котлах *(арго)* — в часах.

Чуть чего не лезет в раж *(разг.)* — Если происходит что-то, что ему не нравится, он не теряет от гнева контроль над собой;

На хрена ему паяльник — ему не нужен паяльник;

на хрена *(груб.)* — зачем; **паяльник** — электрический инструмент, которым в 90-е годы бандиты-бизнесмены пытали конкурентов.

с холодной головой — ср. с высказыванием: «У чекиста должно быть горячее сердце и **холодная голова**» Ф.Э. Дзержинского, главы *чекистов* — сотрудников первого советского органа госбезопасности (1918) ВЧК — Всероссийской Чрезвычайной Комиссии. Намёк на то, что в перестройку бандитами часто становились бывшие советские функционеры, в том числе работники органов госбезопасности, которых до сих пор в разговорной речи называют *чекистами*. Сегодня часть бизнесменов перешла на работу в государственные органы, поддерживая своих бывших коллег по бизнесу.

подвергнется зачистке — здесь: будет устранён (от *подвергнуть зачистке (офиц., военный термин)* — уничтожить оставшихся врагов на отвоёванной территории в результате военной операции).

Л.Ю. Скороходов, О.В. Хорохордина. ОКНО В РОССИЮ — 1

УРОК 1

С президентом квасит в Сочи,
С патриархом он вась-вась,
Состоялась жизнь, короче,
Жизнь реально удалась.

Шелестит бабло в кармане,
Планов, блин, невпроворот,
До чего ж мы, россияне,
Предприимчивый народ!

31 мая 2008

оборзевший (*груб.*) — осмелевший.

квасит (*арго*) — пьёт крепкие спиртные напитки.

Сочи — город на Черноморском побережье, где находится одна из резиденций президента России «Бочаро́в ручей».

вась-вась (*разг.*) — находиться в фамильярных отношениях.

реально — здесь: (*жарг.* бандитов-бизнесменов) действительно, по-настоящему.

бабло (*арго*) — деньги.

блин (*груб. меж.*) — здесь: выражает удовлетворение.

невпроворот (*разг.*) — очень много.

**Пародийный образ бизнесмена-бандита создал
Никита Михалков в фильме «Жмурки»**

ЖИЗНЬ КОРОТКА, ИСКУССТВО ДОЛГОВЕЧНО

| Пётр Великий | скульптор | памятник | любоваться | облик города | мавзолей |

РАЗГОВОР

ЗАДАНИЕ: Сначала прослушайте аудиозапись разговора, обращая особое внимание на интонацию, затем прочитайте его по ролям.

Трудности произношения:
церете́лиевский[1] — в разговорном варианте
    произносится: [церете́левский];
КГБ[2] — произносится: [кагэбэ́].

У Шамсутдиновых

Анна: Ну что, Филипп, ты решил, куда мы сегодня пойдём?

Филипп: В Третьяко́вке[3] я уже три ра́за был, в Пу́шкинском[4] всё пересмотрел, по музеям я сегодня не ходо́к. Давай просто погуляем по городу, погода-то какая!

Анна: И правда, настоящее ба́бье лето. А давай сходим посмотрим церете́лиевский памятник Петру́ на Берсе́невской набережной. О нём столько спорят. Всякий раз его вижу, когда проезжаю по Кры́мскому мосту́, а вблизи никогда не была. А потом можно в парк Го́рького. Там такие аттракцио́ны!

Филипп: Какие такие?

Анна: Классные.

Людмила Михайловна: А́нечка, я тебя умоля́ю, никаких па́рков Го́рького. Ты не знаешь разве, какую репута́цию имеет это место? Там одно пья́ное хулиганьё шля́ется. Не заставляй меня волноваться.

---

[1] Церете́лиевский — здесь: сделанный скульптором Зурабом Церетели.

[2] КГБ — *аббр.* от *Комитет государственной безопасности* (ныне Федеральная служба безопасности — ФСБ).

[3] Третьяко́вка — *разг., сокр.* от *Третьяко́вская галерея* — один из самых крупных в России музеев изобразительного искусства (находится в Москве).

[4] Пу́шкинский — *разг.* от *Музей изобразительных искусств им. А.С. Пушкина* — один из самых крупных музеев изобрази́тельного искусства в России (находится в Москве).

Анна: Мама, опять ты за своё. Во-первых, я не одна, а с Филиппом, а во-вторых, это вечером там опасно, а днём ведь полно́ народу.

Филипп: Конечно, Людмила Михайловна, не беспокойтесь.

Людмила Михайловна: Ладно, делайте что хотите, парк так парк. Филипп, я доверяю вам А́ню, но вы отвечаете за неё головой. Не отключайте мобильник, я буду вам звонить.

На Берсе́невской стре́лке

Анна: Этот памятник установили не так давно. Очередное творение скульптора Зура́ба Церете́ли. Он личный друг московского мэ́ра, поэтому и получает заказы один за другим. Видел «зоопарк» на Манѐжке[1]? Его рук дело.

Филипп: При чём здесь связи? Насчёт звере́й на Манѐжной ничего сказать не могу, а вот Пётр совсем как живой. А почему именно Петра́ Первого решили увекове́чить?

Анна: Для России его имя значит очень много — ведь это он повернул страну к цивилизации, проруби́л окно в Европу[2], как сказал поэт. В Пи́тере[3] многое связано с его именем, потому что он основал северную столицу. Но вот парадо́кс: в Москве не было ему ни одного памятника. Может, не любили в Москве Петра Вели́кого?

Филипп: Ах да! Знаю-знаю: вечный спор двух столиц российских. Москва-ма́тушка, Петербург-ба́тюшка...

Анна: Вообще-то, противостоя́ние это наду́манное. И идёт оно из Пи́тера: не могут питерцы смириться с тем, что их город больше не столица.

Филипп: И очень жаль, что не столица! Как я полюбил этот город после поездки туда на белые ночи! А теперь очень хочу пожить там немного и, если удастся, пройти стажировку в та́мошнем университете. Петербург — настоящий музей под открытым небом. И знаешь, там в само́м воздухе разлита́ какая-то ми́стика.

Анна: Да, спору нет: Питеру повезло́, его о́блик почти не пострадал за советские годы. Это в Москве большевики уничто́жили целые районы исторической застро́йки. Такое было время... У меня идея. Идём посмотрим парк памятников коммунистическим вождя́м — он совсем рядом, на той стороне реки, около филиа́ла Третьяковки.

Филипп: Я никогда о нём не слышал.

Анна: Конечно. Я тебе сейчас такое покажу! Представь себе, в разгар перестройки люди ходили на митинги, ну, там — речи толка́ли, памятники совко́вые[4] круши́ли. Слышал, наверно, как толпа разру́шила памятник Желе́зному Фе́ликсу?

Филипп: Кому-кому? Какому ещё Феликсу?

Анна: Ну Дзержи́нскому[5], разумеется, какому же ещё? Тот памятник, что стоял на Лубя́нке, перед КГБ. Его воспринима́ли как самый яркий символ тоталитари́зма. Вообрази: подъехал кран, р-раз — и сорвали Дзержи́нского с постамента! После этого мэр приказал все памятники советским де́ятелям быстренько демонти́ровать и куда-нибудь свезти́ потихо́ньку. Потому что хоть они и ставились вождям коммунистиче-

---

[1] Манежка — *разг. от Манежная площадь.*

[2] Окно в Европу — неточная цитата о Петре I из поэмы А.С. Пушкина «Медный всадник». У Пушкина: «В Европу прорубить окно...», т. е. установить связи с Европой.

[3] Пи́тер — *разг. от Санкт-Петербург.*

[4] Совковый — *арго, пренебр.* советский.

[5] Дзержинский Феликс Эдмундович — глава первой советской службы безопасности (1918 г.) ВЧК — Всероссийской Чрезвычайной Комиссии.

ским, но представляют я́кобы художественную и историческую ценность.

Филипп: И правильно! Я тоже против разрушения.

Анна: Ну знаешь! Их было слишком много, особенно памятников родному Ильичу́[1]. Куда ни глянь, повсюду лы́сый человек с ке́пкой стоял и указывал рукой «дорогу в светлое будущее». Теперь-то всех ильиче́й убрали.

Филипп: Всех, да не всех, Анечка, ведь в Москве остались памятники Ленину. Например, рядом с французским посольством, на Калу́жской площади стоит огромный монуме́нтище. Я однажды видел там большой митинг сторо́нников компартии.

Анна: Коммуня́к, что ли? Да они вечно митингуют. А что им ещё делать, они все пенсионеры.

Филипп: Как же так? Я и молодых коммунистов там видел. И что это за слово — «коммуня́ки»? Анна, ты несправедли́ва. В демократи́ческой стране должны быть разные партии, в том числе и коммунисти́ческая. Пожилы́м людям особенно тяжело отказаться от своих идеалов, и их эмоции вполне поня́тны. Поэтому я, например, против закрытия мавзоле́я, пока он кому-то до́рог.

Анна: Ну, мавзолей давно уже превратился в аттракцион для туристов. Никто толком и не знает, забальзами́рованный там Ленин или его коммунисты ещё при совке восковым подменили. А попробуй их обвини — они сразу в драку. А вообще, я считаю, пора спрятать куда-нибудь эти символы тоталитари́зма. На сва́лку истории их!

Филипп: Не буду спорить, ты русская, тебе виднее. Я заметил, что в Москве совсем нет абстра́ктной скульптуры. Повсюду только ко́нные ста́туи, памятники поэтам, монументы погибшим на войне.

---

[1] *Ильич* — *публиц., фамильярное* от *Владимир Ильич Ленин*, так было принято его называть в советской пропаганде (обращение по отчеству указывает на близкие, дружеские отношения), в совр. языке часто *ирон.*

Анна: Что верно то верно. У нас, у русских, довольно консервати́вные вкусы. Это правда. Абстрактное искусство в России приживается с трудом. Ну не лежит русская душа к холодной абстра́кции. Нельзя себя
наси́ловать. Всему своё время. А если мне захочется абстракции, я
приеду к тебе в Париж и полюбуюсь. Ведь ты меня пригласишь когда-
нибудь?

Филипп: Обязательно... А можно мне тебя поцеловать?

КАК ЭТО ПРОЗВУЧАЛО В РАЗГОВОРЕ?

**ЗАДАНИЕ: К каждому из фрагментов левой колонки подберите эквивалент из пра-
вой. Попросите преподавателя указать стилистически окрашенные выражения.**

(1)

Я уже осмотрел всё.	1		а	Погода-то какая!
Я сегодня не хочу ходить по музеям.	2		б	Я всё пересмотрел.
Погода отличная!	3		в	церете́лиевский памятник
памятник работы Церете́ли	4		г	Там такие аттракцио́ны!
Там отличные аттракцио́ны!	5		д	По музеям я сегодня не ходо́к.

(2)

Я запрещаю тебе идти в парк имени Го́рького.	1		а	Опять ты за своё.
Там только пьяные хулига́ны ходят.	2		б	полно́ народу
Ты снова начинаешь делать то, что делала раньше, и это мне не нравится.	3		в	Никаких па́рков Го́рького.
очень много людей	4		г	«зоопарк» на Мане́жке
скульптуры зверей на Мане́жной площади	5		д	Там одно пьяное хулиганьё шля́ется.

(3)

Это сделал он.	1		а	При чём здесь связи?
Свя́зи не имеют никакого значения.	2		б	Почему именно Петра́ Пе́рвого решили увекове́чить?
о зверя́х	3		в	Его рук дело.
Почему именно Петру́ Пе́рвому установили памятник?	4		г	Проруби́л окно в Евро́пу.
Завоевал выход к Балти́йскому морю и ввёл европей-ские традиции в быт рус-ских.	5		д	насчёт зверей

(4)

может быть	1		а	Пи́тер
Для этого противостоя́ния нет реальных причин.	2		б	в та́мошнем университете
Санкт-Петербу́рг	3		в	Противостоя́ние это наду́манное.
петербу́ржцы	4		г	может
в университете, который находится там	5		д	питерцы

(5)

даже в воздухе	1		а	Я тебе сейчас такое покажу!
Я тебе сейчас покажу что-то очень необычное, удивительное.	2		б	в разгар перестройки
в самый активный период перестройки	3		в	Ну, там — ре́чи толка́ли, памятники совковые круши́ли.
Ну, например, ре́чи произносили, памятники советские разрушали.	4		г	в само́м воздухе

(6)

Совершенно очевидно, что речь может идти только о памятнике Дзержи́нскому.	1		а	Тот памятник, что стоял на Лубя́нке.
Тот памятник, который стоял на Лубя́нской площади.	2		б	куда-нибудь свезти потихо́ньку
отвезти в какое-то место, не привлекая внимания общественности	3		в	куда ни глянь
Считается, что представляют художественную и историческую ценность, но я в этом сомневаюсь.	4		г	Ну Дзержи́нскому, разумеется, какому же ещё?
повсюду	5		д	Всех, да не всех.
Ты думаешь, что всех, а я знаю, что не всех.	6		е	Представляют я́кобы художественную и историческую ценность.

(7)

коммунисты	1		а	Никто то́лком и не знает.
Всё время проводить митинги.	2		б	На сва́лку истории их!
Никто точно не знает.	3		в	Они ве́чно митингуют.
при советской власти	4		г	коммуня́ки
А если их обвинить, они сразу начинают драться.	5		д	при совке
Полностью отказа́ться от них и забыть о них.	6		е	А попробуй их обвини́ — они сразу в драку.

(8)

Ты в этом лучше разбира́ешься.	1		а	Нельзя себя наси́ловать.
Очень медленно люди привыкают к абстрактному искусству.	2		б	Абстрактное искусство с трудом прижива́ется.
Не любят русские холодную абстра́кцию.	3		в	Ну не лежит русская душа́ к холодной абстра́кции.
Не надо себя заставлять.	4		г	Тебе видне́е.

ПРОВЕРИМ, КАК ВЫ ПОНЯЛИ РАЗГОВОР.

3

ЗАДАНИЕ: Ответьте на вопросы.

1. Какие идеи были у Ани и Филиппа насчёт того, как провести свободное время, и что они в итоге решили?

2. О чём спорит Аня с матерью и чем закончился этот спор?

3. Что Аня сообщает Филиппу о Зура́бе Церете́ли?

4. Почему именно Петра Первого решили увекове́чить в Москве?

5. Что вы узнали из разговора о сопе́рничестве двух российских столиц?

6. Каково отношение Филиппа к Петербургу?

7. Почему Аня считает, что в советское время северной столице повезло больше, чем Москве?

8. Какова история возникновения Музея скульптуры под открытым небом, куда перевезли памятники коммунистическим вождя́м?

9. Как относится Аня к коммунистам и скульптуре советской эпохи? А Филипп?

10. Какую особенность московской скульптуры отмечает Филипп? Какое объяснение этому даёт Аня?

11. Что мы узнаём об отношениях Филиппа и Ани?

ЗАДАНИЕ: Вставьте слова из скобок в предложения. Где необходимо, добавляйте предлоги и меняйте форму слов.

1. Мы решили сходить посмотреть памятник (Пу́шкин), который находится (Пи́тер, площадь Иску́сств), кажется, это памятник (скульптор Аники́шин).

2. Это очень хру́пкая статуэ́тка, я доверяю (она) (вы), но вы отвечаете (она) (голова).

3. Пожилым людям нелегко отказаться (идеалы) молодости.

4. Ты ничего не слышал насчёт (Янта́рная комната[1]), ну той, что исчезла (Екатери́нинский дворец) в Пу́шкине[2] во время Второй мировой войны?

5. (Что) не могут смири́ться пи́терцы?

6. Москвичи решили увековечить (Пётр Вели́кий), поставив памятник на Берсе́невской стре́лке.

7. Санкт-Петербург — настоящий музей (открытое небо).

8. (Дореволюцио́нная скульптура) повезло́ в Питере больше, чем в Москве: там она пострадала в меньшей степени.

9. Парк (памятники) (коммунисти́ческие вожди́) располо́жен (тот берег) реки, около (филиал) Третьяко́вки.

10. В демократической стране должны быть разные партии, (то число) и коммунистическая партия.

11. Не лежит (мы) душа (холо́дная абстра́кция).

12. Мавзоле́й уже давно превратился (аттракцио́н) (иностранные туристы).

СЛОВООБРАЗОВАНИЕ

ПЕРЕСМОТРЕТЬ

ЗАДАНИЕ: Определите, какое значение имеет префикс *пере-* в глаголах.

1. На каникулах Ста́сик **пересмотрел** все фильмы, какие только были у меня. Ниче́м больше не занимался, только ставил диск за диском.

2. Ей пришлось ещё раз **перечитать** всю статью, прежде чем удалось найти нужную цита́ту.

3. Хозяйка из Ма́ши оказалась никудышная: за месяц она **переби́ла** все бока́лы, подаренные на свадьбу.

4. Гри́ша уже **перезвонил** всем сокурсникам, но выяснить, где подешевле продаются учебники издательства «Златоуст», так и не смог.

5. Приле́жная студентка **переделала** все упражнения из учебника, но всё равно так и не поняла разницу между «тоже» и «также».

ЗАДАНИЕ: Передайте содержание следующих фраз, используя подходящие по смыслу глаголы с префиксом *пере-*.

1. Ту́чный господин торопли́во брал одно блюдо за другим, пока не попробо́вал всё, но, ка́жется, ему ничего не понравилось.

---

[1] Янта́рная комната — комната, облицованная панелями из янтаря́ в Екатери́нинском дворце (г. Пушкин), шедевр искусства. Янтарная облицовка комнаты пропала в годы немецко-фашистской оккупации и восстановлена к 300-летию Санкт-Петербурга в 2003 г.

[2] Пушкин — город в окре́стностях Санкт-Петербурга (назван в честь поэта), ранее Ца́рское Село.

2. Попу́тчик со скучающим видом просмотрел весь журнал лист за листо́м, но ничего его не заинтересовало, и, отложив журнал в сторону, он задрема́л.

3. Кто положил все мои ве́щи на другие места́, помя́л их и вы́пачкал?

4. Он что, уже все компа́кт-ди́ски успел послушать? Их же здесь со́тни полторы́!

ТРЕТЬЯКОВКА

— так Филипп называет Третьяковскую галерею. Русские часто в разговорной речи заменяют словосочетания «прилагательное + существительное» новым существительным с тем же значением, образованным по модели:

- *Третьяко́в(ская) (галерея) → Третьяко́в+к+а*
- *«Литерату́р(ная) (газета)» → Литерату́р+к+а*
- *зачёт(ная) (книжка)→ зачёт+к+а*

Вспомните, как названы в разговоре друзей (задание 1) Лубянская площадь и Манежная площадь. А как называют новые русские Лазурный берег Франции (урок 1)?

ЗАДАНИЕ: А теперь попробуйте сами назвать предлагаемые объекты, как русские называют их в разговорной речи.

1. Марии́нский театр →
2. Александри́нский театр →
3. Публи́чная библиотека →
4. станция метро «Маяко́вская» →
5. Петропа́вловская кре́пость →
6. минера́льная вода →

ПУШКИНСКИЙ

Церетелиевский памятник Петру, который предложила посмотреть Анна, — это, как помните, памятник Петру Первому работы скульптора Зураба Церетели.

ЗАДАНИЕ: По какой модели от имён и фамилий образуются прилагательные со значением принадлежности, широко используемые в разговорной речи?

- *Пушкин + ский → Пу́шкинский (музей)*
- *Церете́ли + евский → церете́лиевский (памятник)*

Очевидно, что от фамилий, похожих на прилагательные, например *Кончаловский, Дворцевой*, такие разговорные образования невозможны.

А как вы подтвердите, используя образованные от фамилий прилагательные, информацию собеседника?

1. — Ты смотрел фильм Ряза́нова «Иро́ния судьбы, или С лёгким паром»?
— Да, я сто раз видел этот ... фильм.

2. — Ты ещё не читал «Шлем ужаса» Пелевина?
— Нет, ещё не читал этот ... роман. Сейчас его читает моя сестра, моя о́чередь — сле́дующая.

3. — Ты видел памятник Шемя́кина Петру́ Пе́рвому в Петропа́вловке?
   — Да, ... Пётр производит очень странное впечатление.

4. — Что пишут о визите Медведева в Германию?
   — О ... визите пресса пишет как о победе российской дипломатии.

ТАМОШНИЙ

— Хочу пройти стажировку в та́мошнем университете, — говорит Филипп.

Какое странное слово *тамошний*! А ведь именно такого типа прилагательные, образованные от местоимений и наречий, характерны для русской разговорной речи.

ЗАДАНИЕ: Как образовалось слово *тамошний*? А от каких слов образованы слова *свойский, завтрашний, нашенский*? Что означает каждое из этих слов? Попробуйте сами образовать прилагательные от слов:

1. здесь →
2. всегда →
3. тогда →
4. вчера →
5. сегодня →
6. ваш →

ЗАДАНИЕ: Поучаствуйте в разговоре. Ваши русские собеседники наверняка будут удивлены, как легко вы можете образовывать разговорное прилагательное от выделенных слов.

1. — Давай спросим у этого паренька́[1], как пройти к До́мику Петра́[2].
   — Да он сам по сторонам огля́дывается. Должно быть, он **здесь** не живёт.
   — Пожалуй, ты права, он не... .

2. — Не хочу есть суп, дай что-нибудь другое.
   — Ты, как **всегда**, капри́зничаешь. Мне надое́ли твои ... капризы.

3. — Слушай, не поможешь мне получить ме́сто в вашей фирме? У вас там должность бухга́лтера вака́нтна, а я как раз такую работу ищу́. Ты ведь говорил мне па́ру лет назад, что вхож в дом президента фирмы.
   — Ну, вспомнил! С тех пор столько воды утекло́[3]: фирму реорганизова́ли, президента смени́ли. Так что извини, я был на коро́ткой ноге́[4] с президентом, который заправля́л[5] фирмой **тогда**, а с тем, который **сегодня**, мы едва́ знакомы.
   — А-а, так значит, ты знал только ... президента, а с ... близко не знаком?

4. — Не смей класть расчёску на стол! Стоп! В это кресло не садись: это ма́мино! Осторожно! Кран сильно не открывай, бры́зги могут попасть на зе́ркало и на́ пол! На вера́нду не выходи: там пы́льно, на обуви грязи в дом нанесёшь!

---

[1] Паренёк — *разг., уменьшит.* от *парень, молодой человек*.
[2] Домик Петра — музей в Санкт-Петербурге, созданный в первом доме Петра Великого.
[3] Столько воды утекло — *разг.* прошло много времени.
[4] Быть на короткой ноге (с кем) — *разг.* быть в близких, дружеских отношениях с кем-то.
[5] Заправля́ть (чем) — *разг.* руководить.

— Ничего себе поря́дочки[1] у вас! Здесь дом или музей? Надое́ли мне **ваши** запре́ты. Я больше в гости к вам не ходо́к. Не понимаю я ... порядков.

5. — Что по ящику[2]? Где газета с телепрограммой? Ничего в доме не найдёшь! На моём столе лежала газета, которую я купил **вчера**.

— Не кипятись. Возьми свежую у отца, а ... я выбросила.

ХУЛИГАНЬЁ

Людмила Михайловна боится, что, отправившись на прогулку в парк, Анна может пострадать от хулиганов:

• *Никаких па́рков Го́рького. Ты не знаешь разве, какую репутацию имеет это место? Там одно пья́ное хулиганьё шля́ется.*

11

ЗАДАНИЕ: От какого слова и по какой модели образовано подчёркнутое существительное? Догадались ли вы, что оно означает?
Образуйте от следующих основ по данной модели ещё несколько слов, *обозначающих какой-либо коллектив/группу* (не забудьте, что перед мягким знаком к → ч).

1. мужик →
2. баба →
3. дура́к →
4. во́рон →
5. зверь →

12

ЗАДАНИЕ: Преобразуйте предложения, используя вместо подчёркнутых слов и словосочетаний слова из предыдущего задания. Где необходимо, меняйте форму слов.

1. Зимним утром над селом кружила **большая ста́я воро́н**.
2. У Окса́ны все друзья какие-то недалёкие — **дураки́**, одним словом.
3. Опять **эти женщины** устро́или скандал.
4. Позволь тебе заметить, что среди твоих друзей одни **ду́рно воспитанные мужчины**.
5. Футбольные болельщики после проигрыша часто ведут себя как **стая диких зверей**.

---

[1] Поря́дочки — *разг., экспрес., неодобр.* о порядках.
[2] Ящик — *арго* телевизор.

ЛЕКСИКА

> ## ЛЮБОВАТЬСЯ
> ## ВОСХИЩАТЬСЯ
> ## НАСЛАЖДАТЬСЯ

Глаголы *любоваться*, *восхищаться* **и** *наслаждаться* **образуют лексико-семантическую группу с общим значением «испытывать положительные эмоции от чего-/кого-либо».**

Зрители любовались/восхищались/наслаждались игрой актрисы.

Во многих случаях эти глаголы взаимозаменяемы, однако это возможно не всегда. Рассмотрим различия между ними.

любова́ться — наслажда́ться

Оба глагола означают «получать удовольствие», но:

1а) Если *любоваться* можно тем, что мы воспринимаем зри́тельно (т. е. смотря, наблюдая, рассматривая и пр.), то *наслаждаться* можно, воспринимая происходящее любыми о́рганами чувств (зрением, слу́хом, обоня́нием и пр.). Сравните:

Отдыхающие любуются/наслаждаются прекрасным видом на дымя́щийся вулка́н.

Прогуливающиеся наслаждаются запахом водорослей, несущимся с моря (любоваться невозможно).

1б) Если *любоваться* можно среди прочего живым существом (прежде всего — человеком), то *наслаждаться* живым существом — нельзя:

Молодая мать любуется своими детьми (наслаждаться невозможно).

любоваться — восхищаться

Оба глагола также имеют значение «получать удовольствие», но *восхищаясь*, испытывают более сильную эмоцию (восторг), чем *любуясь*. При этом:

2а) Как уже было сказано (см. пример 1а), *любоваться* можно исключительно тем, что воспринимается зрительно, а *восхищаться* можно не обязательно тому, что видишь. Сравните:

Посетители любуются/восхищаются ста́туями в Ле́тнем саду́.

Многие мелома́ны восхищаются великолепным меццо Ири́ны Архи́повой[1] (любоваться невозможно).

2б) Если при употреблении глагола *любоваться* эмоция (ощуще́ние удовольствия) обязательно сопровождает процесс восприятия (совпадает, является одновременной), то при употреблении глагола *восхищаться* следование этому условию необязательно, восхищаться можно дистанци́рованно (во времени и/или пространстве):

Зрители любуются/восхищаются молодостью и красотой неда́вней выпускницы Вага́новки[2].

Вчера, глядя на актрису, я не оценил её красоты, но вернувшись домой и вспоминая спектакль, я почувствовал, что начинаю восхищаться ею (любоваться невозможно).

---

[1] Ири́на Архи́пова — выдающаяся русская оперная певица.

[2] Вагановка — *разг.* Академия русского балета им. А.Я. Вагановой в Санкт-Петербурге.

восхищаться — наслаждаться

3а) Хотя оба глагола очень близки, *наслаждаться* чаще означает физическое удовольствие:

Гости наслаждались/восхищались *букётом драгоцённого вина из собственных подвáлов виноде́ла.*

3б) Как и глагол *любоваться* (см. пример 2б), глагол *наслаждаться* означает одновреме́нность процесса восприятия и эмоции:

Балетоманы наслаждаются/восхищаются *идеальными пропóрциями прúма-балерúны.*

Выйдя из театра, мы всю дорогу домой говорили о спектакле, восхищаясь *увиденным (наслаждаться невозможно).*

3в) *Восхищаться* живым существом (человеком) можно (см. пример 1б), а *наслаждаться* — нет:

Дéвушка провинциального вúда всякий раз восхищалась *своим кумиром Филúппом Киркóровым[1], когда тот в блестящем костюме выскакивал на сцену (наслаждаться невозможно).*

ЗАДАНИЕ: Проверим, как вы поняли наши объяснения о различии глаголов *любоваться*, восхищаться **и** *наслаждаться*. **Зачеркните тот глагол, который не подходит по смыслу. Мотивируйте свой выбор.**

С известным дуэтом бáрдов[2] — Татья́ной и Сергéем Никúтиными — меня познакомил композитор Микаэ́л Тариверди́ев. Произведения, исполняемые ими, идут от сердца, от каких-то сокровéнных тайникóв души; я (1: *любуюсь/ наслаждаюсь*) искренностью, нежностью, теплотóй их песен, я (2: *любуюсь/ восхищаюсь*) исключительной слáженностью этого дуэ́та, отточенностью и отрепети́рованностью каждой песни до мельчáйших нюáнсов. Я наблюдал и (3: *любовался/наслаждался*) Никúтиными на репетициях и во время зáписи. Тут иногда они покрúкивали друг на друга, если партнёр не так брал какую-то нóту, но чувствовалось, что это пои́стине творческий союз людей, которые понимают друг друга с полуслóва.

Когда мы работали над картиной «Забы́тая мелодия для флéйты», я (4: *любовался/восхищался*) незауря́дными актёрскими способностями Татья́ны и Сергея. Они с такой нежностью и грустью пели следующие строки в «Песне чинóвников»: «Мы не пáшем, не сéем, не строим, / Мы гордимся общественным строем», — что комúческим эффéктом нельзя было не (5: *любоваться/наслаждаться*).

Наши отношения с Татья́ной и Сергéем Никúтиными давно перерослú рамки рабочих, порою мы встречаемся в неформальной обстановке: (6: *любуемся/ наслаждаемся*) бокáлом хорошего вина, (7: *наслаждаемся/восхищаемся*) творческими успехами общих знакомых, (8: *любуемся/наслаждаемся*) удачными фотографиями, сделанными в период совместной работы.

По тексту беседы В. Вéрника с кинорежиссёром Э. Рязановым
из книги «33 барда»

---

[1] Филúпп Киркóров — певец, звезда современной поп-музыки.

[2] Бард — в СССР непрофессиональный певец, исполнитель собственных песен, тексты которых обычно рассказывают о личных чувствах человека, а не прославляют советскую идеологию.

8—★ 14

ЗАДАНИЕ: Замените выделенные словосочетания подходящим по смыслу глаголом, где необходимо, измените структуру фразы.

1. Каждый раз, смотря по телевизору соревнования пловцо́в, Игна́т **приходил в восторг** от совершенства их мускули́стых тел.

2. Отдыхая в Изра́иле, Бе́лла **получала огромное удовольствие** от разнообразия блюд ме́стной кухни.

3. Хотя китайская гимна́стка была несколько углова́той, вся́кий её выход зрители встречали дружными аплодисментами, а потом **с восторгом следили** за каждым её движением.

4. Будучи членом жюри́, Никола́й Петро́вич был обязан выставлять оценки ювели́рным изделиям, представленным на конкурс, но в душе́ ему хотелось **смотреть на них просто ра́ди удовольствия**.

5. Екатери́на Серге́евна, удобно расположи́вшись на вера́нде, пила свой любимый чай, **испы́тывая необыкновенное удовольствие** от свежих запахов июньского у́тра.

ФРАЗЕОЛОГИЯ

8—★ 15

ЗАДАНИЕ: Поддержите разговор.

> **а) Опять (кто?) за своё;**
> **б) Отвечать (за что? за кого?) головой;**
> **в) (Чьих?) рук дело;**
> **г) (У кого?) идея;**
> **д) Никто толком не знает;**
> **е) (Кому?) виднее;**
> **ж) (У кого?) не лежит душа (к чему?);**
> **з) Всему своё время**

1. — Это ещё что тако́е? Боже, кто это натворил?
   — Не сердись, бабушка, это мы с Ко́лей хотели чайку́[1] попи́ть, а по́лочка с ча́шками упала — и всё разбилось. Но Ко́ля ни в чём не виноват. Это всё я. Неча́янно.
   — Так значит, это ...

2. — Не знаешь, когда сессия в этом году начинается? Ходят слухи, что позже, чем обычно.
   — Да, так говорят, но я звонил в деканат, ответили: «Пока ничего определённого сообщить вам не можем». Так что ...

3. — Осточерте́ла[2] мне такая жизнь: работа-учёба, учёба-работа. Давай, что ли, вечери́нку устроим.
   — Потерпи немного, дорогая. Вот зако́нчу проект, тогда и зови́ кого хочешь. Ты же должна понимать, ...

4. — Народ! Я сегодня неожиданно премию получил. Гульнём! Айда в ресторан! Всех угощаю. Вот только куда?

---

[1] Чаёк — *разг., уменьшит.* чай.
[2] Осточерте́ть — *разг., груб.* надое́сть.

— ... Есть такой чу́дный ресторанчик на Старонéвском, «Синемá» называется. Там и кухня прили́чная, и обслуживание на высотé, и цены не кусаются.

— Ну, в «Синемá» так в «Синемá». Ты у нас специалист по ресторанам. ... Но если нам там не понравится, ты будешь ...

5. — И зачем ты выбрала темой для диплома этого никому не известного писателя Бори́са Козло́ва? Кто тебя потом с такой специализацией на работу возьмёт?

— ... ? Мама, это не твоё дело! Ты ничего не понимаешь в литературе. А его творчество — новое слово в литературе. И потом, сколько раз говорить, что ни к какому другому писателю ...

16 ЗАДАНИЕ: Вспомните какой-нибудь случай из своей жизни, когда бы вы могли употребить фразеологизмы из предыдущего задания, если бы вы их в то время уже знали.

ГРАММАТИКА

ТЫ ОПЯТЬ ПРО ЭТОТ ПАРК?

17 ЗАДАНИЕ: Перечитайте фрагменты разговора. В какое из предложений вы могли бы вставить следующие глаголы?

а) отправить, отвезти;
б) взялась, принялась;
в) говоришь, думаешь;
г) бросятся, кинутся.

1. — А потом можно в парк Го́рького. Там такие аттракционы!
   — **Ты опять про этот парк?**

2. — Там одно пья́ное хулиганьё шля́ется. Не заставляй меня волноваться.
   — **Мама, ты опять за своё.**

3. Я считаю, пора спрятать куда-нибудь эти символы тоталитаризма. **На сва́лку истории их!**

4. А попробуй их обвини — **они сразу в дра́ку.**

18 ЗАДАНИЕ: Составьте модели по образцу.

Предложение	Модель	Значение
Ты опять про этот парк?	существительное/местоимение в им. падеже (субъект) + про что? (о чём?)	речь, мысль

19

ЗАДАНИЕ: Измените фразы так, чтобы они выражали тот же смысл, но более экспрессивно. Пользуйтесь моделями предыдущего задания.

1. — Знаешь, Габор очень переживает из-за конкурса.
   — Да, только это его и волнует, ни о чём другом от него не слышу, **он всё только о своём конкурсе и говорит.**

2. — Ещё только семь утра́, а ты что, **уже принялась за работу?**
   — Ну, начинается. **Если я взялась за перевод,** значит, каждый член семьи считает своим до́лгом вы́сказаться о моём занятии. Оставьте меня в поко́е, не мешайте!

3. Еле́на ужасно тяжело переживает смерть ребёнка. Представляешь, я вчера рассказывала про свою семью, только произнесла: «А мой сын…» — как она **бро́силась в слёзы**[1].

4. — Что это у тебя за хлам? По нему помо́йка плачет[2]!
   — Какой же это хлам? Ну да, эта о́бувь не новая, но за́ городом её ещё вполне носить можно.
   — **Ну, тогда надо все твои башмаки́ на дачу отправить.**

5. — Ты куда идёшь?
   — На работу. Опаздываю. Надо сегодня офо́рмить командировку, и **вечером полечу́ в Москву по делам фирмы.**

6. — Ну, что нам до приезда родителей ещё надо сделать?
   — Квартиру в порядок привести.
   — А мы успеем?
   — Успеем, если разделим работу. Давай **я возьмусь за мытьё посуды, а ты принимайся за стирку.** Идёт[3]?

7. — С Софи **стало невозможно разговаривать. Я ей про работу говорю, а она только о своём женихе́ бесконечно рассказывает.**
   — Видела я этого жениха́. Ну и ти́пчик! Кто бы что ни сказал, он ни с кем не согласен. Ну, не согласен и не согласен, молчи себе. Так нет — **он сразу в спор бросается**[4].

8. Ой, де́вочки, что сегодня было! ОМО́Н[5] террориста захватывал. Тот засел в здании на втором этаже, а **один из омо́новцев всё с ним про разные вещи говорил,** ну, чтоб внимание, понятно, отвлечь, **а тро́е других в это время бросились на штурм** — и захватили. Очень страшно было. Хорошо, что без жертв обошлось.

---

[1] Броситься в слёзы — *разг.* внезапно начать плакать.
[2] Помойка плачет (по чему?) — *разг.* о старом, негодном предмете, который нужно выбросить на помойку.
[3] Идёт — здесь: *разг.* согласен.
[4] Броситься в спор — *разг.* внезапно начать спорить.
[5] ОМО́Н — *аббр.* от *отряд милиции особого назначения* (произносится: [амо́н]).

ЕМУ ДАЮТ МНОГО ЗАКАЗОВ.

20 **ЗАДАНИЕ: Перечитайте следующие фразы из разговора. Подчеркните глаголы, определите их грамматическую форму. Вспомните, какую идею выражают предложения с предикатом такого типа.**

- *О нём сейчас столько спорят.*
- *Ему дают много заказов.*
- *Не любили в Москве Петра́ Вели́кого.*
- *Теперь всех ильиче́й убрали.*

Замените вопросительные предложения синонимичными, используя эту синтаксическую конструкцию (неопределённо-личное предложение). Адресуйте свой вопрос собеседнику.

Какие новости в газетах? (писать) → *О каких новостях пишут в газетах?*

1. Книги каких а́второв пользуются в Москве наибо́льшим спро́сом? (читать)
2. Какие русские кинофильмы вызывают интерес в Северной Корее? (смотреть)
3. Какие достопримеча́тельности Казани привлекают осо́бое внимание? (посещать)
4. В каких журналах можно найти статьи об африканском искусстве? (публиковать)
5. Какие регио́ны имеют репутацию экологически неблагополу́чных? (считать)
6. Какие учебные заведения теперь носят названия гимна́зий? (называть)
7. Какие русские песни популярны в странах Восточной Европы? (слушать)

НИКАКИХ ПАРКОВ!

Помните, как Людмила Михайловна запрещает Ане идти в парк Горького?

- *«Никаких парков Го́рького!» — говорит она дочери.*

21 **ЗАДАНИЕ: Всем известно, что парк имени Горького в Москве один, но Людмила Михайловна употребляет это название во множественном числе. Выражению какой идеи служит в этом случае использование множественного числа? А вот ещё один пример:**

— *Хорошо, дорогой, я всё поняла. Сейчас я спешу, а вечером мы с тобой ещё обсу́дим, сто́ит ли тебе переходить на новую работу.*

— ***Никаких обсуждений!*** *Я сегодня же подпи́сываю контракт. Я так реши́л — и то́чка.*

Ответьте *категорическим запретом/отказом* своему собеседнику.

1. — Простите, а **словарь** на экзамен принести можно?
— ... Экзамен есть экзамен.

2. — Может быть, мне **съездить** куда-нибудь на недéльку[1]? Надоéло на месте сидеть.
   — ... У тебя сессия на носу́[2].

3. — А не начать ли мне писать **диссертацию**? Все мои согру́ппники защити́лись давно, а у меня всё руки не доходят. Времени не хватает.
   — ... А семьёй кто будет заниматься?

4. — Что-то температура поднялась. Может, **антибио́тик** принять?
   — ... ! Всё и так пройдёт. А то лечи́ тебя потом от аллерги́и.

5. — Куплю-ка я новый **мобильник,** у моего батарейка быстро дóхнет[3].
   — ... Деньги экономить надо.

6. — Напишу мейл И́горю, а потом и делáми займусь. Что-то от него давнéнько ничего нет.
   — ... Он и думать забыл про тебя[4], а ты всё **мейлы** ему шлёшь.

7. — Дай **журнáльчик** полистáть, я вижу, там дéвочки красивые.
   — ... Мал ещё таким любоваться.

ДАВНО МЫ НЕ ПОВТОРЯЛИ ГЛАГОЛЫ ДВИЖЕНИЯ.

22 ЗАДАНИЕ: Прочертите на карте района маршрут прогулки Ани и Филиппа, а затем подробно опишите его, используя глаголы движения с подходящими префиксами.

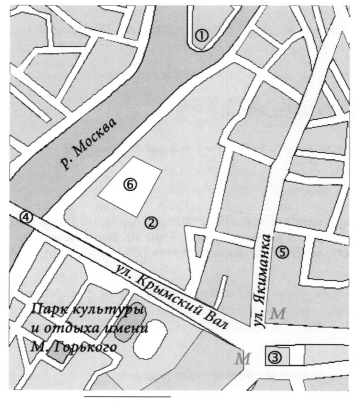

1 — Берсеневская стрелка, памятник Петру
2 — парк политической скульптуры
3 — памятник Ленину на Калужской площади
4 — Крымский мост
5 — посольство Франции в Москве
6 — Центральный дом художника и филиал Третьяковской галереи
М — выходы из станции метро «Октябрьская»

---

[1] Недéлька — *разг., уменьшит.* от *неделя.*
[2] На носу́ — *разг.* очень скоро.
[3] Дóхнуть — *разг., пренебр.* здесь: разряжаться.
[4] И думать забыл — *разг.* перестал думать.

СТИЛИСТИКА

8—— 23

ЗАДАНИЕ: Вспомните, что мы говорили о стилях речи в первом уроке. Каковы отношения между стилистически нейтральной и стилистически маркированной речью? Какие элементы в следующих примерах являются стилистически маркированными и почему? Внесите результаты своих наблюдений в таблицу.

Áнечка, никаких парков Гóрького, там одно пьяное хулиганьё шляется!

Уровень	Стилистически маркированные элементы	
	нет	есть
Фонетический		
Словообразовательный		
Морфологический		
Лексико-семантический		
Синтаксический		

Представь себе, в разгар перестройки люди ходили на митинги, ну, там — речи толкали, памятники совковые крушили.

Уровень	Стилистически маркированные элементы	
	нет	есть
Фонетический		
Словообразовательный		
Морфологический		
Лексико-семантический		
Синтаксический		

Трансформируйте данные предложения в стилистически нейтральные.

Рассмотрите схему.

Реальная речь носителя русского языка

О *некодифицированной речи* мы будем говорить в седьмом уроке. А для знакомства с системой *кодифицированной речи* давайте рассмотрим следующую схему.

Система стилей кодифицированной речи

24 **ЗАДАНИЕ: Какими, по-вашему, должны быть параметры ситуации общения и цели коммуникации для каждого из названных стилей?**

Параметры ситуации	Официаль-но-деловая речь	Научная речь	Публици-стическая речь	Художе-ственная речь	Разговорная речь
• Официаль-ная					
• Неофици-альная (фамильяр-ная)					
• Подготов-ленная					
• Неподго-товленная (спонтан-ная)					

Параметры ситуации	Официально-деловая речь	Научная речь	Публицистическая речь	Художественная речь	Разговорная речь
• Общение ради общения					
• Запрос или сообщение информации					
• Воздействие на адресата					

РЕЧЕВАЯ ПРАКТИКА

ПИТЕРУ ПОВЕЗЛО

— Питеру повезло, его облик почти не пострадал за советские годы, — замечает Анна.

25

ЗАДАНИЕ: Поддержите разговор, используя одну из форм глагола *везти/повезти (везло, везёт, будет везти, повезло, повезёт)*.

1. — Представляешь, Вóвка специально приехал из Москвы на премьеру «Руслáна и Людмúлы»[1], что Гéргиев[2] поставил в Марии́нке, а билетов так и не смог достать. Расстрóился ужасно.
— Ну ничего, в следующий раз ...

2. — Знаешь, Натáлья Сергéевна пекла куличú на Пáсху — вдруг электричество отключили. Куличú плохо пропеклúсь, гостей угощать стыдно, она даже расплакалась.
— Да, вот уж в самом деле ...

3. — Говорят, что две работы Лéнки Полякóвой отобрали для общероссúйской выставки молодых скульпторов.
— Вот ... !

4. — Серёжка только две недели как диплом получил, три дня назад отправил своё резюме[3] в какой-то бáнк, и, представляешь, ему уже место предлагают. Оказывается, они давно уже искали специалúста такого прóфиля.
— Вот это удача! Впрóчем, ему всегда ...

---

[1] «Руслáн и Людмúла» — классическая русская опера композитора М.И. Глинки по одноимённой поэме А.С. Пушкина.
[2] Валéрий Гéргиев — дирижёр, художественный руководитель Мариинского театра в Санкт-Петербурге.
[3] Резюмé — краткая трудовая биография.

5. — Знаешь, Ко́ля на днях с чердака всякий хлам выбрасывал, нашёл какие-то де́душкины бумаги. Оказалось — записи о том, как строился наш завод. Теперь у него эти документы краеве́дческий музей[1] купить хочет, предлагает приличную сумму.
   — Вот ... !

6. — Каникулы на носу́, а бедная Еле́на мало того что простудилась, так ещё и ногу сломала. Вообще теперь без отдыха останется.
   — Да, ...

КОМУ-КОМУ?

КАКОМУ ЕЩЁ ФЕЛИКСУ?

26

ЗАДАНИЕ: Перечитайте фрагмент разговора. Обратите внимание на то, как Филипп переспрашивает, просит уточнить, о чём говорит Анна, и как Анна сообщает об очевидности ответа на вопрос Филиппа.

Анна: Толпа разрушила памятник Желе́зному Фе́ликсу.
Филипп: Кому-кому? Какому ещё Фе́ликсу?
Анна: Ну Дзержи́нскому, разумеется, какому же ещё?

А теперь попробуйте сами поучаствовать в аналогичных разговорах.

1. — Анна с Филиппом говорили о церете́лиевском «зоопа́рке».
   — ...
   — Ну разумеется, о том, что на Мане́жке находится, ... ?

2. — Многие восхищаются шемя́кинским па́мятником Петру́ I в Петропа́вловке.
   — ...
   — Ну разумеется, памятником работы скульптора Шемя́кина, ... ?

3. — Невозможно не любоваться отреставри́рованным Спа́сом, когда выходишь на Не́вский в районе канала Грибое́дова.
   — ...
   — Ты как будто не в Пи́тере живёшь. Ну собором, который Спас на Крови́ называется, ... ?

4. — Когда я бываю на родине, я просто наслаждаюсь совершенно неповторимой атмосферой академгородка́[2].
   — ...
   — Ну всемирно известного Новосиби́рского академгородка́ — района, где живут и работают учёные, разумеется, ... ?

---

[1] Краеве́дческий музей — музей истории данной местности.
[2] Академгородо́к — *сокр. от городок работников академической науки* (где сконцентрированы научно-исследовательские учреждения).

КАКОЙ ТАКОЙ?

Вы уже, конечно, заметили, что русские часто передают своё отношение к чему-нибудь или к кому-нибудь словами *такой* или *какой*. Это становится возможно тогда, когда характеристика очевидна из контекста или из ситуации. Филипп к этому ещё не может привыкнуть: сами понимаете — иностранец! Он всегда уточняет: «Какой такой?»

27   **ЗАДАНИЕ: Подскажите ему, что хотел выразить словами *такой* и *какой* его собеседник Роман.**

1. *Роман:*   О-го-го! Такое вино! Скорее его на стол.
   Филипп: Какое такое?
   Вы: ...

2. *Роман:*   Такая девушка! Где познакомился?
   Филипп: Какая такая?
   Вы: ...

3. *Роман:*   Какие сигареты! Я таких никогда не пробовал.
   Филипп: Каких таких?
   Вы: ...

4. *Роман:*   Такие пропорции у этой скульптуры! Залюбу́ешься!
   Филипп: Что ты имеешь в виду? Какие такие?
   Вы: ...

5. *Роман:*   Какая танцовщица! Такое дарова́ние.
   Филипп: Какое такое?
   Вы: ...

И ПРАВДА!

АХ ДА!

ЭТО ПРАВДА.

ЛАДНО

ТЕБЕ ВИДНЕЕ!

ЧТО ВЕРНО ТО ВЕРНО

Мы часто в жизни выражаем своё *согласие*, но не всегда это делаем одинаково:

а) иногда мы соглашаемся с собеседником, потому что его информация кажется нам абсолютно бесспорной, только мы сами на это не обращали раньше внимания;

б) иногда мы соглашаемся с собеседником, потому что начало его сообщения вызывает у нас воспоминания о предмете разговора и мы можем догадаться, о чём дальше пойдёт речь;

в) иногда нам не хочется соглашаться, но мы избегаем конфликта и уступаем собеседнику;

г) иногда мы соглашаемся, потому что наше мнение совпадает с мнением собеседника.

⚷— 28

ЗАДАНИЕ: Давайте понаблюдаем, как в разговоре наши знакомые выражали согласие в различных формах. Какие смысловые нюансы вкладывает говорящий в каждую из них? Для ответа используйте данные выше комментарии.

1. *Филипп:* Погода-то какая!
   Анна: **И правда**, настоящее ба́бье лето.

2. *Людмила Михайловна:* Никаких па́рков Го́рького!
   Анна: Во-первых, я не одна, а с Филиппом, а во-вторых, это вечером там опасно, а днём ведь полно наро́ду.
   Людмила Михайловна: **Ладно**. Делайте что хотите.

3. *Анна*: Может, не любили в Москве Петра́ Вели́кого?
   Филипп: **Ах да!** Знаю-знаю, вечное противостоя́ние двух столиц российских.

4. *Анна*: А вообще, я считаю, пора спрятать куда-нибудь эти символы тоталитари́зма.
   Филипп: Не буду спорить, ты русская, **тебе видне́е**.

5. *Филипп:* Я заметил, что в Москве совсем нет абстра́ктной скульптуры.
   Анна: Да, у нас, у русских, довольно консервативные вкусы. **Это правда**.

6. *Филипп:* Я заметил, что в Москве совсем нет абстра́ктной скульптуры.
   Анна: **Что верно то верно.**

⚷— 29

ЗАДАНИЕ: Поддержите разговор, выражая согласие с собеседником. Не забывайте, что согласие согласию рознь! А если трудно запомнить сразу все нюансы, не стесняйтесь, подглядывайте в предыдущее задание.

1. — Ничего больше я тебе покупать не наме́рена. У тебя и так одежды столько, что шкаф скоро тре́снет.
   — Мам, ну лето же на носу́. И потом, сама знаешь, мода каждый сезон меняется. Ну купи только блу́зку и джи́нсы.
   — ...

2. — Смотри, как этот па́рень на веду́щего у́тренних новосте́й похож!
   — ...

3. — Мне кажется, что если сравнивать Париж с российскими городами, то он больше похож на Пи́тер, чем на Москву́.
   — ...

4. — Завтра к нам в университет Гребенщиков[1] с концертом приезжает.
   — ...

5. — В Китае, кажется, пришло время, чтобы всерьёз задуматься о том, как меняется о́блик городов.
   — ...

---

[1] Борис Гребенщиков — культовый рок-певец, музыкант, поэт, композитор, актёр, основатель рок-группы «Аквариум».

6. — Никакого мороженого! Только неделю назад анги́ной болел.
   — Бабушка, жарко ведь.
   — ...

7. — Слышали о последнем открытии американцев в медицине? Шоколад-то, оказывается, предотвраща́ет инфа́ркт. У нас в лаборатории все только об этом и говорят.
   — ...

И ОЧЕНЬ ЖАЛЬ!

НУ ЗНАЕШЬ!

КАК ЖЕ ТАК?

НИКАКИХ ПАРКОВ!

30 ЗАДАНИЕ: Перечитайте следующие фрагменты из диалога, передающие *несогласие* с собеседником. Отметьте, в каком из случаев выделенные реплики наряду с несогласием выражают:

а) категорический запрет;
б) несогласие-упрёк, запрет в мягкой форме;
в) несогласие-возмущение;
г) несогласие-удивление;
д) несогласие-сожаление.

1. — Не могут пи́терцы смириться с тем, что их город больше не столица.
   — **И очень жаль, что не столица!**

2. — Он личный друг мэра, поэтому у него полно заказов.
   — **При чём здесь связи?**

3. — Мэр приказал все памятники советским деятелям быстренько демонтировать и куда-нибудь свезти потихоньку.
   — И правильно сделал, я тоже против разрушения.
   — **Ну знаешь!** Их было слишком много.

4. — А потом можно в парк Го́рького. Там такие аттракционы!
   — А́нечка, я тебя умоляю, **никаких парков Го́рького!**

5. — Слава богу, что теперь всех ильиче́й убрали.
   — **Как же так, Аня?** Ведь в Москве остались памятники Ле́нину.

6. — А что им ещё делать, они все пенсионеры.
   — **Анна, ты несправедлива.** Так нельзя.

---

[1] Светлая голова — *разг., экспрес.* об умном человеке.

31

ЗАДАНИЕ: Поддержите разговор двух аспирантов. Вместо многоточий помести-те формы несогласия из предыдущего задания. Постарайтесь использовать каж-дую из форм только один раз.

а) И очень жаль / и очень жаль, что …;
б) Как же так?;
в) Так нельзя;
г) Никаких … (существительное в род. падеже множественного числа);
д) При чём здесь …(существительное/местоимение в им. падеже)?

— Я окончательно отказываюсь от учёбы в докторанту́ре.

— … (1) Если люди с такой све́тлой головой[1], будут лежать на диване и смот-реть в потолок, во что тогда превратятся гуманита́рные науки?

— Не переоценивай мои таланты. Тебе ли не знать, что я получил нелучшее образование, а уж пробе́лов[2] в моих знаниях больше, чем самих знаний. Как у многих, кто учился в советское время.

— … (2) Да, мы о многом не знали, да и не могли знать, официальная идео-логия не позволяла этим интересоваться. Но чего не отнять у советского образо-вания, так это систе́мности, ко́мплексности программ, уме́ния научить методо-логии исследований.

— … (3)? Образование в СССР вообще, может, и было чудесным, но мы-то с тобой говорим конкретно обо мне. А я, как это ни печально, не могу гордиться своим образованием.

— … (4)? Я, например, считаю свой уровень образования более-менее удо-влетворительным, но о скольких новых вещах я впервые узнаю́ от тебя! Тебе надо ещё раз всё хорошо обдумать, прежде чем бросать докторантуру.

— … (5)! Поздно. Дело уже сделано.

НАСЧЁТ СКУЛЬПТУРЫ НИЧЕГО СКАЗАТЬ НЕ МОГУ, А ВОТ АРХИТЕКТУРА ИНТЕРЕСНА

— Насчёт зверей на Мане́жной ничего сказать не могу, а вот Пётр — со-всем как живой, — говорит Филипп.

Всем нам случается попадать в ситуации, когда о предмете разговора у нас нет определённого мнения, **но мы можем что-то противопоставить этому. Вот тогда и пригодится ответ, построенный по модели высказывания Филиппа.**

32

ЗАДАНИЕ: Ориентируясь на наш образец, сообщите собеседнику, что вы затруд-няетесь ответить на его вопрос, но у вас есть мнение о чём-то сходном:

— Что ты думаешь о городской скульптуре Москвы? (архитектура)
— Насчёт городской скульптуры ничего сказать не могу, а вот архи-тектура некоторых районов действительно интересна.

1. — Ты узнал в деканате, когда устный экзамен по русскому сдавать будем?
   — … (письменный экзамен)

2. — Слыхал, Петро́вы на всё лето в Индию уезжают?
   — … (мы с тобой, Испа́ния)

---

[1] Светлая голова — *разг.* умный человек.
[2] Пробе́л — здесь: отсутствие знаний в какой-то сфере.

3. — Ты помнишь, какие в Пи́тере в 2003 году по случаю 300-летия (трёхсотле-тия) торжества́ небыва́лые закати́ли?[1]
— ... (Москва, 1997 год, по случаю 850-летия (восьмисотпятидесятилетия))

4. — Наверное, мало у кого из иностранцев есть представление о том, что за го-род Новосиби́рск.
— ... (Сиби́рь вообще)

5. — Полагаю, что было бы лучше убрать из городов все памятники коммуни-стическим вождя́м.
— ... (те́ло Ле́нина из мавзоле́я)

6. — В России, думаю, в ма́е уже повсюду всё цветёт.
— ... (во Фра́нции в марте)

7. — Не любит, должно быть, Москва Петра́ Пе́рвого, раз памятников до сих пор ему не ставила.
— ... (Ю́рий Долгору́кий — основа́тель Москвы)

ТЕКСТ

33

ЗАДАНИЕ: Прочтите текст о памятнике Петру Великому, подчёркивая слова, свя-занные с темой скульптуры. Рассмотрите памятник на 2-й стр. обложки.

монументальная работа

Одной из самых значительных монументальных работ Зура́ба Церете́ли в Москве стал памятник «300 лет Российскому фло́ту, или Пётр Вели́кий», созданный в 1997 году.

крупный памятник

В городской монументальной пла́стике редко устанавлива-ются такие крупные памятники. Подобные проекты, в которых плоскости скульптурной формы велики (из-за чего подве́ржены сильным ветровы́м нагрузкам), вызывают серьёзные проблемы и требуют решения мно́жества технических задач: правильного выбора материала и разработки прочной конструкции, выдер-живающей ветровые нагрузки и тяжесть облицо́вки.

выбор материала
облицо́вка
монумент (кому?)

Монуме́нт Петру I, основателю Российского флота, пред-ставляет собой уника́льный в инженерно-техническом решении объект, где всё рассчитано на то, чтобы памятник устоял в лю-бую погоду. Карка́с девяно́стовосьмиметро́вого монумента — это металлоконстру́кция из нержаве́ющей стали, на которую накла-дывались собранные в укрупнённом масштабе бро́нзовые детали облицовки. Нижняя треть всей конструкции собиралась отдель-но и устанавливалась на железобетонное основание-фундамент. Отдельно собирали фигуру Петра, а также конструкцию корабля́, которые затем в готовом виде ставились на пьедеста́л.

постаме́нт
выполнить из бронзы, меди

Облицо́вка ростра́льного постаме́нта, корабля и фигуры вы-полнена из бро́нзы, сви́ток в руке Петра I — позоло́чен, а паруса́ сделаны из ме́ди.

создавать впечатление

В основание площадки — искусственного о́строва — вмон-тированы фонтаны, которые создают впечатление рассека́ющего воду корабля́.

По информации с официального интернет-сайта З. Церетели

---

[1] Закати́ть — *разг.* организовать что-то грандиозное.

ЛЕКСИКА

☞ 34

ЗАДАНИЕ: Просмотрите группы слов. Определите для каждой из них признак, по которому они объединены.

> **Именные группы:**
> **а) виды скульптурных изображений;**
> **б) автор;**
> **в) части монументальных сооружений;**
> **г) виды монументальных сооружений;**
> **д) материал**

1. скульпту́ра, па́мятник, монуме́нт, скульпту́рная гру́ппа, обели́ск, скульпту́рная компози́ция, па́мятный камень, па́мятный знак, плита, барелье́ф, сте́ла — ...

2. фигу́ра (в полный рост, сидящая, лежащая, бегущая и пр.), бюст, погру́дное изображение, голова́ — ...

3. постаме́нт, пьедеста́л, глы́ба, коло́нна — ...

4. ка́мень, грани́т, известня́к, металл, бро́нза, гли́на, мра́мор, гипс, зо́лото, серебро́, де́рево — ...

5. ску́льптор, вая́тель, монументали́ст, создатель — ...

> **Глагольная группа:**
> **а) действия по установке монумента;**
> **б) виды работы скульптора;**
> **в) местоположение;**
> **г) цель создания монумента**

1. находиться, располага́ться, вы́ситься, возвыша́ться, стоя́ть — ...

2. вы́сечь, вы́гравировать, отли́ть, облицева́ть, покры́ть, вы́лепить, вы́резать — ...

3. сооруди́ть, воздви́гнуть, установи́ть, поста́вить — ...

4. изобрази́ть, запечатле́ть, увекове́чить – ...

☞ 35

ЗАДАНИЕ: Пользуясь словами из предыдущего задания, заполните пропуски в тексте так, чтобы у вас получился рассказ на тему «Прогулка по Севастополю». Постарайтесь использовать максимум разных слов.

Го́род-геро́й Севасто́поль поби́л все реко́рды по числу (1) ... : их в его черте́ почти триста. Главным образом это (2) ... , установленные в память моряков, поги́бших в похо́дах или при защите Севасто́поля — стратегически распо́ложенного черномо́рского по́рта.

На Мала́ховом кургане́ (3) ... одна из наиболее интересных в художественном отношении многофигу́рных (4) ... . В центре её высится (5) ... смертельно раненного адмира́ла Корни́лова, призывающего сора́тников по оружию: «Отста́ивайте же Севасто́поль!» Рядом с ней (6) ... матрос, заряжающий пушку.

Вот памятник адмиралу Нахи́мову. На высоком (7) ... — (8) ... , запечатлевшая руководителя первой обороны Севасто́поля в полный рост. Пьедеста́л укра́шен с четырёх сторон (9) ... , представляющими наиболее героические эпизо́ды обороны. Этот памятник выполнен в (10) ... , теперь уже позелене́вшей от времени.

А здесь массивная (11) ... из красного с белыми прожилками (12) ... , перед которой горит Вечный огонь[1]. На ней (13) ... имена севастопольцев, отдавших свою жизнь на фронтах Великой Отечественной[2].

(14) ... адмирала Лазарева мы можем увидеть на площади, носящей его имя. Память отважного мореплавателя, которого россияне почитают как первооткрывателя Антарктиды, увековечена погрудным изображением, отлитым из какого-то тёмного (15) ... .

А вот (16) ... в форме куба из чёрного карельского (17) ... , на котором (18) ... надпись, сообщающая дату основания Севастополя — 1783 год.

На берегу бухты — высокая (19) ... , которую видно со всех концов города (этот памятник (20) ... в ознаменование присвоения Севастополю звания города-героя). Она (21) ... плитками из белого (22) ... , из которого построены многие городские здания, но который редко используют здесь скульпторы: он хрупок и неустойчив к перепадам температуры и влажным ветрам, продувающим город зимой.

Если вы приехали в Севастополь впервые, вас обязательно отведут на набережную и покажут памятник затопленным кораблям, (23) ... по проекту (24) ... Адамсона. Посреди бухты выступает (25) ... , сложенный из крупных каменных (26) ... , напоминающий по своей форме скалу, верхняя часть которой переходит в правильный шестиугольник — основание коринфской (27) ... , возвышающейся над водами моря и увенчанной фигурой орла. Орёл расправил крылья, приготовившись слететь к глади моря и в соответствии с традицией моряков опустить на воду лавровый венок как символ памяти о кораблях, погребённых в пучине[3].

В связи с трагической гибелью подводной лодки «Курск», на которой служили несколько севастопольцев, было решено (28) ... в городе (29) ... . Место для него ещё не выбрано, не решено пока и как будет он выглядеть.

---

[1] Вечный огонь — огонь в мемориале, круглосуточно горящий в память о героях.

[2] Великая Отечественная — здесь: Великая Отечественная война с немецкими фашистами (1941–1945 гг.).

[3] Погребённый в пучине — *высок.* о затонувших кораблях.

ТЕКСТ

36 **ЗАДАНИЕ: Прочитайте интервью с известным скульптором Михаилом Шемякиным, рассмотрите его работы, фотографии которых размещены на персональном сайте скульптора по адресу: http://www.kck.ru/shemyakin/shemyakin.nsf/index.html.**

Михаил Шемякин родился в 1943 году. Живописец, график, скульптор, коллекционер, издатель. Был в конфликте с советскими культурными властями, подвергался принудительному психиатрическому лечению. В 1971 году эмигрировал во Францию, затем жил в США, где получил в 1989 году гражданство, в настоящее время работает в России.

делать на заказ

памятник открылся

бронзовая фигура

на постаменте выбиты цифры

аллегорически изображать кого? что?

символы чего?

центральная фигура

символизировать что?

изображение кого? чего?

изображать кого? что?

— *Михаил, живя в разных странах, как вы обходитесь с работами, с мастерской?*

— Я не монументалист. Обхожусь иногда довольно скромными материалами. Я вожу с собой деревянный этюдник, в котором у меня собраны заготовки для графики. Скульптуры же, которые я делаю на заказ для других стран или для России, делаю, в основном, в Америке. Вот, например, памятник «Дети — жертвы пороков взрослых», который открылся в 2001 году на Болотной площади в Москве, тоже был отлит в Америке: он состоит из 15 бронзовых фигур. На его постаменте выбиты цифры: сколько детей занимается проституцией, сколько наркоманией, воровством и т. д. 15 фигур — 15 пороков; первой стоит наркомания с большими крыльями, а в этих крыльях — множество ампул; затем проституция с головой жабы (так в Средние века аллегорически изображали порок блуда); затем воровство, пьянство; невежество, у которого тоже традиционные средневековые символы — голова осла и погремушка; за ним недальновидный учёный, рядом с ним ребёнок-мутант, в руках список катастроф, порождающих детей-монстров — Чернобыль и т. д., а также будущие беды вроде клонирования; центральная фигура — равнодушие с заткнутыми ушами и завязанными глазами; потом — пропаганда насилия с набором разных значков — с фашистской и прочей символикой; потом носорог в фартуке мясника, символизирующий садизм, жестокость; потом позорный столб, к которому пригвождены все эти преступления; за ним традиционное изображение капиталиста — толстого буржуя[1] во фраке и цилиндре, у ног его модель фабрики, на которую он указывает, как бы расписывая её прелести, это использование детского труда; а ещё — тощая старуха, это нищета, голод; и, наконец, сбоку — рогатая фигура в противогазе и с крыльями дракона, в них уже — патроны: это монстр, изображающий во-

---
[1] Буржуй — *разг., пренебр.* представитель класса буржуазии.

отливать фигуры

ставить и оформлять балет

послужить стимулом к чему?

установить памятник

сделать исключение
перенести в другое место

слиться со стилем

лучшая похвала

что? впечатляет кого?

что? задумано как что?

по замыслу
модель в гипсе

работать над проектом

проект одобрен

йну, он протягивает полуку́клу-полубо́мбу (я имел в виду, что в Афганиста́не детям давали замини́рованные игрушки). Все эти 15 фигур отливались в Америке.

— *Вы художник. Но постепенно вы мигрируете в различные жанры. Почему?*

— В последние годы я много работаю с театром, с балетами, я работал с Мариинкой в Питере, затем в театре в Софии ставил и оформлял три балета. Костюмами я занимаюсь, это естественно. У меня мама — актриса. Она окончила театральный институт в Ленинграде, работала там в Театре комедии, снималась в кино. Поэтому с детских лет я понимал, что такое театральная атмосфера. В более позднем возрасте это послужило стимулом к тому, что я дал согласие работать над некоторыми балетами.

Так называемая моя многогранность вполне естественна. Отец мой преподавал тактику, занимался историей войн, включая японские и китайские, был человеком необычайного кругозора, великий аналитик. Наверное, это у меня от него — то, что я внимательно изучаю творчество древних мастеров, соединяю с новым. Вот в 1998 году в Вене́ции на Сан-Ма́рко был установлен мой памятник Казано́ве, заказанный венециа́нской мэ́рией. В Вене́ции законом запрещено устанавливать какие бы то ни было новые памятники. Мой Казано́ва был установлен на вре́менной платфо́рме на площади свято́го Ма́рка и по контракту должен был простоя́ть десять дней, которые длится карнавал, но для меня сделали исключе́ние — памятник простоял несколько месяцев. Он и остаётся в городе, просто его должны были перенести в другое место. Пока он стоял на Сан-Ма́рко, людям стало казаться, что он всегда там стоял. Он как-то слился с венецианским стилем; когда некоторым венециа́нцам меня представляли как автора нового памятника, они удивлялись: как это нового, ведь памятник тут уже давно стоит, и это было для меня лучшей похвало́й.

— *Вы работали как скульптор для самых разных городов. Впечатляют ваши сфинксы в Петербурге в мемориале жертвам политических репрессий. Жаль только, что они всё-таки малова́ты…*

— Конечно, они малы́. Сфинксы задуманы как центральный элемент памятника жертвам политических репрессий и по замыслу должны выглядеть грозно. Настоящая модель — 5 на 6 метров — осталась у меня в ги́псе, потому что в 1995 году тогдашний мэр Питера не нашёл денег, чтобы её отлить в бронзе. Поэтому-то на набережной Робеспьера и стоят маленькие моде́ли.

— *К скульптуре вы сейчас возвращаетесь?*

— Скульптура — производство весьма дорогостоящее и долговременное. Сейчас я работаю над большим проектом — памятником Эрнсту Теодору Амадею Гофману для Калининграда (Гофман там родился). Проект одобрен на президентском уровне. Если удастся собрать деньги, тогда то, что у меня сейчас в гипсе и в пластилине, будет осуществлено и поставлено в городе, где прошло моё раннее детство — в Кёнигсберге-Калининграде.

разгорелись дискуссии
    о чём?

ставить/сносить памятни-
    ки
памятник в бронзе

памятник культуры

подписать указ о том, что...
внедрять новые проекты

памятники архитектуры

осуществить идею

— *В последнее время с новой силой разгорелись дискуссии о том, где, кому и когда устанавливать памятники. Что здесь является критерием оценки, по вашему художественному ощущению?*

— Когда-то ставили памятники великим политическим деятелям. Если время диктовало, что данный персонаж в бронзе или граните не должен стоять в данной стране, то памятник просто сносили. Удержится в Петербурге аникушинский так называемый «танцующий» Ленин, который встречает туристов,

въезжающих в город? Замечательная скульптура. Я был одним из тех, кто первым написал в Министерство культуры письмо-предупреждение о том, чтобы во время горячки после развала Советского Союза не уничтожили замечательные памятники культуры, независимо от того, кого они изображают. Это спасло многие памятники.

— *Может быть, стоит принять закон, по которому, пока не прошло 50 лет со дня смерти той или иной персоны, ей не должны ставить памятники?*

— Это всё — отвлечение от более важных дел, которыми россияне на сегодняшний день должны заниматься. Я вижу, как на моих глазах разрушается Петербург. Недавно мэром Петербурга подписан указ о том, что на старой площадке Петербурга будет внедряться 420 новых архитектурных проектов зданий-новоделов. Я спрашивал архитекторов, многие против уродования Петербурга. Они говорят, что всё очень просто. Сначала добиваются, чтобы здание, которое является памятником архитектуры, лишилось статуса памятника архитектуры. И на этой площадке, снеся старинное здание, начинают строить новое.

— *Что Михаил Шемякин может пожелать себе самому?*

— Сил — чтобы выдержать напряг[1], в котором я живу, а также средств, чтобы хоть часть моих идей осуществилась.

По материалам интервью с М. Шемякиным Т. Вольской —
газета «Фигуры и лица», № 15 /1999 и М. Перелешиной —
радио «Маяк», 04.05.2006, http://old.radiomayak.ru/schedules/69/26907.html
Фото: http://www.kozma.ru/images/artists/anikushin/lenin-b.jpg

_____

[1] Напряг — *разг., сниж.* большое напряжение; выдержать напряг — перенести большие трудности.

ПРОВЕРИМ, КАК ВЫ ПОНЯЛИ ТЕКСТ.

37

ЗАДАНИЕ: Ответьте на вопросы.

1. Как Михаил Шемякин создаёт свои произведения, работая в разных странах?

2. Что за памятник работы Михаила Шемякина установлен в Москве? Где и когда он открылся? Что он представляет собой?

3. В каких жанрах искусства работает Михаил Шемякин? Чем он объясняет свою многогранность?

4. Как связано имя Михаила Шемя́кина с Вене́цией?

5. Что мы узнаём из интервью о сфи́нксах Шемякина?

6. Что рассказывает скульптор о проекте памятника, который он намерен реализовать в Калининграде?

7. Какова позиция Михаила Шемякина по отношению к памятникам советской эпохи? Известна ли она российским властям?

8. На какую важную проблему, по мнению Шемякина, россиянам сегодня следует обратить внимание?

9. Чего пожелал себе Шемякин?

38

ЗАДАНИЕ: Вставьте слова из скобок в подходящей форме в следующие фразы, добавляя, где необходимо, предлоги.

1. Где был установлен памятник (Казано́ва)?
2. (Кто) был заказан этот памятник?

3. Многие из скульптурных монументов советской эпохи в перестроечные времена были перенесены (другие места).

4. Не все столичные жители признают, что скульптурам Церете́ли удалось сли́ться (московский стиль).

5. В мемуарах актрисы много места уделено (история) театра, в котором она работала.

6. В своём произведении автор аллегори́чески изображает (скорбь) о павших на войне соотечественниках.

7. Архитектурные ансамбли Петербурга в при́зрачном све́те белых ночей потрясли́ (многочисленные туристы).

8. На новогоднем карнавале детишки предстали перед своими родителями в образах (ска́зочные герои).

ГРАММАТИКА

Также может указывать на следующие значения.

1) Объединение нескольких субъектов общим качеством, состоянием, действием, признаком.

В этом значении синонимом **также** выступает наречие **тоже**. Сравните:

ТАКЖЕ — ТОЖЕ

а) *Стрелка Васильевского острова в Петербурге очень красива.*

Дворцо́вая набережная также производит сильное впечатление красотой своего архитектурного ансамбля.	Дворцо́вая набережная тоже производит сильное впечатление красотой своего архитектурного ансамбля.

б) *Слева от здания Двена́дцати колле́гий — Главного здания Петербургского университета — располагается бывший дворец царя Петра II, ныне там факультет филологии и искусств.*

Ме́ньшиковский дворец находится также слева от здания Двенадцати коллегий, несколько дальше по Университетской набережной.	Ме́ньшиковский дворец находится тоже слева от здания Двенадцати коллегий, несколько дальше по Университетской набережной.

в) *За границей бумажную упако́вку перерабатывают для вторичного использования.*

В России её также отправляют на вторичную переработку.	В России её тоже отправляют на вторичную переработку.

г) *Готовясь к выставке, посвящённой 50-летию со дня смерти всемирно известного танцовщика Ва́цлава Нижи́нского[1], организаторы разместили в залах музея д'Орсэ его живописные и фотографические портреты.*

Рисунки, созданные им самим, также были развешаны в одном из залов выставки.	Рисунки, созданные им самим, тоже были развешаны в одном из залов выставки.

ОБРАТИТЕ ВНИМАНИЕ:
• **Также/тоже** в предложении стоят перед тем словом или группой слов, которые выражают что-то общее, объединяющее субъекты. На **также/тоже** падает логическое ударение. **Тоже** никогда не стоит перед грамматическим субъектом.
• Предложения с **также**, на наш взгляд, звучат более литературно, чем их эквиваленты с **тоже**, имеющие нейтральную стилистическую окраску.

2) Присоединение к субъектам, объектам, действиям, состояниям, признакам другого/других субъектов, объектов, действий, состояний, признаков.

В этом значении синонимом **также** выступает наречие **ещё**. Сравните:

---

[1] Ва́цлав Нижи́нский — выдающийся балетный танцовщик начала XX века.

ТАКЖЕ — ЕЩЁ

а) *На премьеру балета Эйфмана[1] «Русский Гáмлет» в Петербурге ожидали мэра города и спúкера Госдумы.*

Ждали **также** президента страны.	**Ещё** ждали президента страны.

б) *В Русском музее в Петербурге хранятся полóтна выдающихся русских художников прошлых веков и современности.*

Хранятся здесь **также** уникальные старинные икóны.	**Ещё** здесь хранятся уникальные старинные икóны.

в) *В России грибы на зиму маринуют и солят.*

Их **также** сушат.	**Ещё** их сушат.

г) *Иностранные туристы любят ездить в Москву и Петербург.*

Они любят путешествовать **также** по городам Золотóго кольцá России.	**Ещё** они любят путешествовать по городам Золотóго кольцá России.

ОБРАТИТЕ ВНИМАНИЕ:
• Преимущественное место **также** = **ещё** в предложении — перед тем словом или группой слов, которые называют присоединяемые к уже ранее названным субъекты, объекты, действия, состояния, признаки. На **также** = **ещё** падает логическое ударение.
• Предложения с **также**, на наш взгляд, звучат более литературно, в то время как их эквиваленты с **ещё**, скорее, характерны для разговорной речи.

З) Та же идея присоединения к субъектам, объектам, действиям, состояниям, признакам другого/других субъектов, объектов, действий, состояний, признаков может быть передана при помощи сложных союзов **а также** = **а ещё**.

В этом случае акцентируется идея дополнительности присоединяемого. Присоединяемое вводится не в отдельном предложении, а в качестве однородного члена предложения в общем ряду перечисляемого. Сравните:

А ТАКЖЕ — А ЕЩЁ

В России грибы на зиму маринуют и солят. Их **также** сушат.	В России грибы на зиму маринуют, солят, **а также** сушат.
В России грибы на зиму маринуют и солят. Их **ещё** сушат.	В России грибы на зиму маринуют, солят, **а ещё** сушат.

ОБРАТИТЕ ВНИМАНИЕ:
• **А ещё** в большей степени подчёркивает идею дополнительности, чем **а также**. Употребление **а ещё** более характерно для разговорной речи.
• Наречие **тоже** никогда не соединяется с союзом **а**!

---

[1] Борис Эйфмáн — российский балетмейстер.

39

ЗАДАНИЕ: Выпишите из текста интервью (задание 36) предложения, в которых употребляются *тоже, также, а также, ещё, а ещё.* Укажите, в каких случаях данные слова могут взаимозаменяться.

40

ЗАДАНИЕ: Замените, где допустимо, частицу *также* возможными синонимичными средствами. Объясните свой выбор.

1. Эрнст Неизве́стный, как и упомянутый выше Михаил Шемя́кин — также выдающийся русский скульптор совреме́нности.

2. Группа студентов филфа́ка[1] отправилась на фолькло́рную практику[2] в отдалённые районы Красноя́рского кра́я. К ним присоединились также двое преподавателей музыкального училища.

3. В Санкт-Петербу́рге на открытии памятника Чи́жику-Пы́жику, герою весёлой детской песенки, присутствовали многие эстрадные юмори́сты, кое-кто из городской администрации также был там.

4. Путешествуя по азиатской части России, сто́ит в первую очередь посетить Томск, Новосибирск, а также города́ Восточной Сибири.

5. В центре детского творчества учат петь, танцевать, лепи́ть. Рисовать также учат.

6. «Говорят, что памятник поэту — его стихи, а не бронзовый идол. И я с этим согласен». — «Я также с этим не могу не согласиться».

РОССИЯ ГЛАЗАМИ ИНОСТРАНЦА

Как вы могли узнать, существует множество скульптурных изображений Петра Великого. Филипп увидел некоторые из них и сделал фотоснимки, чтобы отправить их в Китай своему другу Синю, который увлекается русской историей. А на оборотной стороне фотокарточек он решил поместить сначала описание скульптур (место, автор, материал, размер, композиция), а потом свои впечатления.

41

ЗАДАНИЕ: Что написал Филипп Синю? Отвечая, вы можете пользоваться снимками Филиппа на 2-й странице обложки.

ДИСКУССИЯ

42

ЗАДАНИЕ: Примите участие в дискуссии на тему «Скульптура в облике современного города».
а) Скажите, какие памятники поставили в вашем городе / в вашей стране в последние годы. Опишите их. Все ли ваши соотечественники одного мнения об этих новых скульптурах? А на ваш взгляд, эти скульптурные произведения украсили или изуродовали привычные городские (деревенские) пейзажи?
б) Как вы считаете:

1. Относится ли скульптура к числу важных элементов облика современного города или можно обойтись без неё?

---

[1] Филфа́к — *сокр. от филологический факультет.*
[2] Фолькло́рная практика — обязательная поездка студентов-филологов обычно в отдалённые районы с целью записи образцов народного творчества.

Л.Ю. Скороходов, О.В. Хорохордина. ОКНО В РОССИЮ-1

УРОК 2

2. Какую функцию призвана выполнять скульптура в городском ансамбле: быть украшением или служить пропаганде каких-либо идей? Должны ли эти функции совмещаться?

3. Как стóит поступать с монументами, установленными в память каких-то личностей, и символами ушедших эпох (двуглáвый орёл, серп и мóлот, крáсная звезда, фашúстская свáстика и пр.), которые вызывают ныне у людей отрицательное отношение?

4. С чем должны тематически соотноситься новые памятники? Вспомните, что говорилось в текстах раздела о некоторых скульптурных проектах. Какой из них заинтересовал вас? Чем именно?

5. Надо ли ставить памятники выдающимся современникам нашей эпохи (политическим деятелям, спортсменам, артистам и др.)? Кто из наших современников заслуживает памятника?

ЗАКЛЮЧИТЕЛЬНОЕ ДОМАШНЕЕ ЗАДАНИЕ

43

Подготовьтесь к заключительному занятию:

1) повторите изученный лексический и грамматический материал;

2) сформулируйте вопросы, которые вы бы хотели вынести на обсуждение в заключительной дискуссии;

3) ознакомьтесь с дополнительными текстом 3, помещённым в конце урока, если хотите узнать больше о культе В.И. Ленина;

4) продумайте (напишите) план сочинения на тему «Кому, за что и какой памятник мне хотелось бы поставить в городе (в деревне), где я живу».

Напоминаем вам, что наше заключительное занятие будет состоять из:
а) дискуссии (1 час);
б) сочинения минимальным объёмом в 250 слов (1 час).

ДОПОЛНИТЕЛЬНЫЙ ТЕКСТ 1

Любопытный факт отношения к памятникам в Древнем мире:

Традиция уничтожения памятников предшествующему царствованию столь же стара, как и сами памятники. Впрочем, в древности предпочитали не уничтожать дорогостоящих кумиров, а адаптировать их к изменившимся политическим условиям: в Дрéвнем Егúпте, например, наследник почившего фараóна просто менял на статуе покойного несколько иерóглифов. Учитывая наличие канóна, делавшего лица царствующих особ весьма схожими, такой способ нельзя не признать как идейно оправданным, так и чрезвычайно необременúтельным для казны.

В. Слоник
Опубликовано на портале polit.ru

ДОПОЛНИТЕЛЬНЫЙ ТЕКСТ 2

Как вы считаете, справедливо ли решение Московской городской думы? А как относятся власти вашей страны к самовольной установке произведений монументального искусства?

Московская городская дума внесла изменения в закон о порядке возведения в столице произведений монументально-декоративного искусства городского значения. В частности, он дополнен статьёй об ответственности за самово́льную установку произведений монументального искусства. Согласно этой статье, незаконная установка памятников, а также закладных камней влечёт наложение штрафа.

При этом самовольно устано́вленное произведение будет демонти́роваться за счет средств наруши́телей. Кроме того, также нарушитель будет финансировать работы по благоустро́йству территории.

Опубликовано на портале gazeta.ru

ДОПОЛНИТЕЛЬНЫЙ ТЕКСТ 3

Проблема дальнейшей судьбы символов коммунизма неизбежно вызывает дискуссии в посттоталитарном обществе. Одним из самых значительных символов является Ленин, поэтому в России не утихают споры о судьбе Мавзолея В.И. Ленина на Красной площади в Москве. Знаете ли вы, где берёт начало культ вождя и его изображения? Для тех, кого это интересует, предлагаем отрывок из статьи Сергея Земляного.

МУМИЯ И МАВЗОЛЕЙ

Среди «прокля́тых вопросов» нынешней общественной жизни вопрос о перезахороне́нии те́ла Влади́мира Улья́нова-Ле́нина, помещённого в Мавзолей на Красной площади, выделяется своим взрывны́м потенциа́лом. До сих пор не найдено компроми́ссное решение, которое устроило бы и сторонников, и противников перезахороне́ния[1].

Ленин считал, что прославле́ние его личности является необходимым инструментом завоева́ния масс. Так, итальянская революционерка Балаба́нова в своих воспоминаниях отмечала, что Ленин считал политически «поле́зным» массовое изготовление своих бю́стов: «Наши крестьяне недове́рчивы, — говорил он Балаба́новой, — они не читают; чтобы верить, им нужно видеть. Когда они увидят мои бю́сты, они убедятся в том, что Ленин на самом деле существует». Проблема принимать или не принимать знаки почитания и поклонения, решалась Лениным не на принципиальной основе нравственности, а на прагмати́ческой основе политической целесообра́зности.

После смерти вождя́ его тело было бальзами́ровано и помещено в мавзолей, хотя в своей предсме́ртной записке (ныне уте́рянной) Ленин просил похоронить его в Петрогра́де, рядом с родительской моги́лой.

Долгое время считалось, что определяющую роль в принятии решения о мумифика́ции Ленина сыграл Сталин. Теперь выяснилось, что идея бальзами́рования родилась в среде враче́й, лечивших Ленина, а после его смерти вскрыва́вших тело и предотвраща́вших его разложе́ние. Затем она постепенно

_____
[1] Перезахороне́ние — захоронение в другом месте.

овладела ума́ми представителей партийно-государственной верху́шки, оценивших ма́ло-пома́лу её вы́годы. Известный большевик Климе́нт Вороши́лов выступил против идеи бальзамирования, назвав её «антимаркси́стской», он считал, что она дурно повлия́ет на крестьян, которые могут заявить: «Они разгроми́ли наших бого́в, посылали работников ЦК, чтобы разби́ть мо́щи; а теперь они сами творя́т свои мо́щи». Но Фе́ликс Дзержи́нский вы́сказался за мумифика́цию тела и помещение его в «открытый склеп», свободный для посещения. Именно он сыграл решающую роль в формировании «культа Ленина».

Наде́жда Кру́пская, жена Ленина, равно как его брат и сёстры, занимала резко отрицательную позицию по вопросу бальзамирования. Но партийным деятелям сначала удалось их уговорить на 40 дней повремени́ть с преда́нием тела земле («чтобы больше трудящихся попрощалось с вождём»), а потом эти сроки перерасли́ в бессро́чность. И действительно, в конце января 1924 года к гро́бу Ленина пришло около миллиона человек — ни одно из большевистских мероприятий не собирало столько народу. Зино́вьев даже назвал по́хороны Ленина «второй революцией рабочего класса»! Культ ленинской му́мии был при́зван эксплуатировать тра́ур по Ленину, паразити́ровать на есте́ственных чувствах людей.

Бальзами́рованное тело вождя должно было стать для «гряду́щих поколений» вечным символом революции, её воплоще́нием.

Поразительно в наше время звучит выска́зывание большевика Кра́сина, которое он сделал по случаю смерти одного революционера: «Я убеждён: придёт время, когда наука станет столь могучей, что сможет восстановить вновь погибший организм. Я убеждён: придёт время, когда станет возможным с помощью элементов жизни человека реконструи́ровать самого́ физического человека».

При вы́боре проекта здания для тела вождя Анато́лий Лунача́рский, отвечавший в то время за монумента́льную пропаганду, предложил построить специальный мавзоле́й, который бы совмещал в себе черты́ памятника, гробни́цы, панте́она (а впоследствии — трибу́ны для вождей, «продолжающих дело Ленина»). Тема панте́она обсуждалась тогда в связи с проктом перено́са оста́нков Карла Ма́ркса из Ло́ндона в Москву и расположения их рядом с му́мией Ленина, в мавзоле́е. Лунача́рский советовал принимать в расчёт, что вожди пролетариата, будучи представителями гигантского пото́ка пролетарской во́ли, становятся «сверхчелове́ками», «сверхчелове́ческими личностями». И тем самым — «знамёнами и символами» всего класса.

Бе́нно Э́ннкер, автор книги «Зача́тки культа Ленина в Советском Союзе» (Benno Ennker. Die Anfaenge des Leninkultes in der Sowjetunion. — Köln, Weimar, Wien: Böhlau, 1997), написал: «Архитектура, предусмо́тренная для мавзолея, где располагается ленинский саркофаг, должна была символизировать "вечность". Гробница сознательно строилась в подражание образцу пирами́д. По аналогии с их предназначе́нием для умерших фарао́нов мавзолей символизировал "вечное присутствие" Ленина».

Полный текст статьи см. в газете «Ex libris НГ», № 15, 2000 г.

НЕ ТО ЗАБОТА, ЧТО МНОГО РАБОТЫ, А ТО ЗАБОТА, КОГДА ЕЁ НЕТ

| подрабатывать | резюме | профессия | собеседование | должность | работа |

РАЗГОВОР

 1 **ЗАДАНИЕ: Прослушайте аудиозапись разговора Романа и Филиппа. Как всегда, обратите особое внимание на интонацию. Прочтите или прослушайте его ещё раз.**

Трудности произношения:
ФСБ — произносится: [эфэсбэ́] или [фээсбэ́];
тест — произносится: [тэст]; тести́рование — произносится: [тэсти́рование];
бебиси́ттер — произносится: [бэ́би-си́тэр].

Филипп: Роман! Роман, посто́й, русский медведь!

Роман: А-а... Здоро́во, лягуша́тник. Дай пожать твою ла́пу.

Филипп: Ну, рассказывай, как житьё-бытьё. На собесе́дование ходил?

Роман: А как же! Само собой. Ты уже в ку́рсе? Быстро же новости разлетаются. Да, вчера был на собесе́довании в фирме, они компью́терщика ищут.

Филипп: Как ты нашёл эту фирму, если не секрет? По знако́мству?

Роман: Нет, нашёл их объявление на одном интернет-сайте. Знаешь, в компьютерном деле, если башка́ не ва́рит, никакое знакомство не поможет. Сразу видно — про́фи ты или нет.

Филипп: Ну и как?

Роман: С виду фирма соли́дная, о́фис — в самом центре. Ясное дело, я пришёл при параде: ну, там, галстук, рубашка белая — сам понимаешь, как без этого? Встречает меня ме́неджер по кадрам — ухоженная девушка, ноги от шеи растут, каблучками цок-цок: «Приса́живайтесь, господин Шамсутди́нов, располага́йтесь. Чашечку кофе?» Ну я, разумеется: «Нет, благодарю». Какой уж там кофе, когда от волнения я и так весь взмок. Тут она как начала: вопрос за вопросом, вопрос за вопросом — всё бы ей у меня вы́ведать. Ну понятно, там, вопросы типа: где учились, где работали, стаж. Но зачем ей знать, кто родители, есть ли у меня води́тельские права́, ве́рующий ли я? А ещё один вопрос меня просто убил: какова, говорит, ваша сексуальная ориентация? Я покраснел, а ей — хоть бы что: даже не смутилась!

Филипп: Да-а... Ничего себе. Ну а ты?

Роман: Традиционная, говорю, ориентация. Потом: «Почему вы стремитесь работать именно у нас?» Тоже мне вопрос! Ну я, конечно, нау́чен, от-

вечаю: «Ваша фирма известна в столице, мне вас очень рекомендовали». Знаешь, это действует психологически.

Филипп: Ещё бы! Доброе слово и кошке приятно.

Роман: Таким бы дамочкам в ФСБ служить: расспросила обо всём. Извините, говорит, за нескромные вопросы, но мы должны иметь полное представление о претендентах на работу в нашей фирме, чтобы адекватно оценить как их профессиональную компетентность, так и личностные качества. Ну, слава всевышнему, теперь уже всё позади.

Филипп: А потом?

Роман: Отвели к программисту на тéсты. Ну тут, сам понимаешь, поспокóйнее, специалист всё-таки, дело видит. Поспрашивал немножко и опять уткнулся в комп. Свой человек!

Филипп: Ну и что в итоге?

Роман: «Ждите ответа. Мы вам позвони́м». Думаю, я им подойду. Всё-таки не всякому охота по вечерам вкалывать, тем более по всему городу мотаться, да ещё за такие деньги.

Филипп: За какие, если не секрет?

Роман: Честно говоря, деньги небольши́е. Но с чего-то надо начинать. К тому же я уже не мальчик, у мамы денег на мобильник проси́ть. А здесь пусть немного, зато свои крóвные[1]. Будь у меня стаж, стал бы я на таких условиях на них пахать! Но опыт работы у меня, увы, нулевóй. Где уж мне выбирать.

Филипп: Ну ничего. Карьéру не с президентских мест начинают.

Роман: Кстати, ты сам-то где-нибудь подрабáтываешь?

---

[1] Крóвные — *разг., сокр.* от *кровные деньги* (деньги, заработанные собственным трудом).

Филипп: Конечно, зарабатываю на жизнь уроками французского, плюс я ещё и бебиси́ттер.

Роман: Кто-кто? Бебиси́ттер? А-а, понял: ты хочешь сказать — ня́нька?

Филипп: Не совсем так: нянька ухаживает за детьми, а я помогаю готовить им домашние задания.

Роман: А-а... Тогда это, скорее, «гуверн ёр» называется. А у кого? У какого-нибудь банкира?

Филипп: С чего ты это взял? Нет, у работника французского посольства, у него трое детей: девочки-двойняшки и мальчик.

Роман: Везёт же некоторым! Тебя, должно быть, при приёме на работу не пытали, как меня.

Филипп: Ни собеседования, ни тестирования, разумеется, не было: ведь я пришёл по рекоменда́ции: один хороший знакомый поручи́лся за меня, сказав, что я легко лажу с детьми. Но если что не так, меня без всяких угрызе́ний со́вести выставят вон. А в фирме есть социальные гарантии, работник находится под защитой закона.

Роман: Ну-ну, куда уж там — га-ра-нтии! Если что не так, уволят за пять минут, вылетишь со свистом. Ну и как, нравится тебе твоя работа?

Филипп: Нравится, хотя дети очень капризны и избалованы, чуть что не так, бегут жаловаться маменьке и папеньке. С ними нужны железные нервы, ведь даже голос на них повышать запрещено. Но, несмотря ни на что, я к ним уже привязался, да и они меня любят.

Роман: Послушай, а тебе ещё одно такое место, как твоё, не найти?

Филипп: А что?

Роман: Да сестру бы мою куда-нибудь пристро́ить с детьми сидеть. Она девчо́нка исполни́тельная, аккуратная, согласится на любые деньги. Вы́ручи, спроси, друг, у своих, может, кому-нибудь требуется, а я у тебя в долгу не оста́нусь.

Филипп: Ну, это ни к чему! Что ты! Я и так всё обязательно разузна́ю, но гаранти́ровать ничего не могу. А она уже работала нянькой или гувернанткой?

Роман: Никогда. Но видел бы ты, как она с малышами управля́ется.

Филипп: Конечно-конечно. Анна мне очень симпати́чна, я постараюсь сделать для неё даже невозможное.

Роман: Спасибо, ты настоящий друг. Значит, договорились? Если что, кидай эсэмэ́ску на мобильник.

КАК ЭТО ПРОЗВУЧАЛО В РАЗГОВОРЕ?

ЗАДАНИЕ: К каждому из фрагментов левой колонки подберите эквивалент из правой. Попросите преподавателя указать стилистически окрашенные выражения.

(1)

Здравствуй.	1		а	Дай пожать твою ла́пу.
Разреши пожать твою руку.	2		б	Ты уже в ку́рсе?
Как дела? Как поживаешь?	3		в	А как же?
Конечно! Какие могут быть сомне́ния?	4		г	Здоро́во.
Тебе уже всё известно?	5		д	Как житьё-бытьё?

②

специалист по компьютерам	1		а	Башка́ не ва́рит.
Знакомые помогли?	2		б	про́фи
Ничего не понимаешь.	3		в	По знакомству?
профессионал	4		г	Ну и как?
А результат каков?	5		д	компью́терщик

③

на первый взгляд	1		а	взмок
вспотел	2		б	Пришёл при параде.
Пришёл хорошо одетым.	3		в	Тут она как начала: вопрос за вопросом.
Мне совершенно не хотелось кофе.	4		г	с виду
Она начала очень быстро задавать один вопрос за другим.	5		д	Какой уж там кофе!

④

Она хотела всё обо мне узнать.	1		а	Ещё бы!
Это никак на неё не повлияло.	2		б	Доброе слово и кошке приятно.
Да, это удивительно!	3		в	Ей — хоть бы что.
Нет никакого сомнения.	4		г	Всё бы ей у меня вы́ведать.
Такое каждому приятно.	5		д	Да-а... Ничего себе!

⑤

Женщинам такого типа следовало бы в ФСБ работать.	1		а	Уткнулся в комп.
Подро́бно спросила меня обо всём.	2		б	свой человек
слава богу	3		в	Таким бы да́мочкам в ФСБ служить!
Стал смотреть в компьютер.	4		г	Расспросила обо всём.
близкий по духу человек	5		д	слава всевышнему

⑥

Чем это кончилось?	1		а	свои кро́вные (деньги)
Никому не хочется по вечерам интенсивно работать.	2		б	Будь у меня стаж...
много ездить по городу	3		в	Ну и что в ито́ге?
собственные, самим заработанные деньги	4		г	Кому охо́та по вечерам вка́лывать?
Если бы у меня был опыт работы...	5		д	по городу мота́ться

89

(7)

Я не стал бы на таких условиях у них работать.	1		а	С чего ты это взял?
Опыта работы у меня нет.	2		б	Где уж мне выбирать?
Я не могу быть слишком требовательным в выборе.	3		в	Везёт же некоторым!
Почему ты так подумал?	4		г	Стал бы я на таких условиях на них пахать!
Я тебе завидую.	5		д	Опыт работы у меня нулево́й.

(8)

Дал гарантии.	1		а	Уволят за пять минут, вылетишь со свистом.
Я легко нахожу контакт с детьми.	2		б	Поручился за меня.
Выгонят без всякого сожаления	3		в	я легко ла́жу с детьми
Никаких гарантий нет.	4		г	Без всяких угрызений совести выставят вон.
Тебя очень быстро уволят.	5		д	Куда уж там — га-ра-нтии!

(9)

Я их уже полюбил.	1		а	А тебе ещё одно такое место, как твоё, не найти?
А ты не можешь найти ещё одно такое же место, как и твоё?	2		б	Я у тебя в долгу́ не останусь.
А почему ты об этом спрашиваешь?	3		в	Я к ним уже привязался.
Помоги.	4		г	А что?
Я тебя отблагодарю.	5		д	Вы́ручи.

(10)

Это абсолютно не нужно.	1		а	Что ты!
Ты меня удивляешь.	2		б	Если что, кидай эсэмэ́ску на мобильник.
Как ей удаётся работать с маленькими детьми.	3		в	Как она с малышами управляется.
Если будут новости, отправь мне текстовое сообщение на мобильный телефон.	4		г	Это ни к чему.

ПРОВЕРИМ, ХОРОШО ЛИ ВЫ ПОНЯЛИ РАЗГОВОР.

3

ЗАДАНИЕ: Ответьте на вопросы.

1. Договаривались ли молодые люди о встрече?
2. Как друг друга называют француз и россиянин? Почему они так обращаются друг к другу?
3. Какие новости у Романа? Известно ли было Филиппу о новостях Романа до их встречи?
4. Откуда Роман узнал о компьютерной фирме?
5. Можно ли, по мнению Романа, не имея диплома по специальности, получить место в компьютерной фирме?
6. Какое впечатление произвела на Романа компьютерная фирма? Что он об этом рассказал Филиппу?
7. Как в этой фирме организована процедура приёма на работу?
8. Какого рода вопросы задавали Роману на собеседовании?
9. Готовился ли Роман к собеседованию? Как?
10. Выгодные ли условия работы предложили Роману? Он ими доволен?
11. Есть ли у Филиппа профессия? Работает ли он где-нибудь? Проходил ли он собеседование при приёме на работу?
12. Какие преимущества работы в фирме по сравнению с работой у частных лиц видит Филипп? Разделяет ли его мнение Роман?
13. Чем тяжела работа гувернёра?
14. С какой просьбой обращается Роман к Филиппу? Почему он это делает?
15. Какое обещание даёт ему Филипп? Почему?
16. Как Филипп относится к Анне?
17. Как рассчитывает Роман получить новости от Филиппа?

 4

ЗАДАНИЕ: Поставьте слова из скобок в подходящую форму, при необходимости добавьте предлоги.

1. Как ты нашёл (эта фирма), наверное, (знакомство)?
2. Ме́неджер по кадрам расспросила (Роман) (всё): всё бы ей (он) вы́ведать.
3. О манекенщицах часто говорят, что у них ноги (шея) растут.
4. (Ваша фирма) (я) рекомендовали специалисты.
5. Может быть, (она) заинтересует (биография) кандидата.
6. Может быть, (она) заинтересуется (биография) кандидата.
7. Шеф извинился (кандидат) (нескромный вопрос), но всё-таки он ждал (претендент) ответа.
8. Шеф извинился (кандидат) (нескромный вопрос), но всё-таки он ждал (свой вопрос) ответа.
9. Думаю, что я (они) подойду.
10. (Кто) охота по вечерам подрабатывать (уроки)?
11. (Какие деньги) ты бы согласился работать в этой фирме менеджером (кадры)?
12. Нянечка ухаживает (дети), а гувернёр помогает (они) готовить (домашние задания).
13. Повышать (дети) голос строго запрещено.
14. Во время занятий пользоваться мобильными телефонами запрещено, поэтому друзья предпочитают не звонить, а бросать (эсэмэ́ски) друг другу (мобильник), чтобы прочитать их (перерыв) (занятия).

ЛЕКСИКА

ДОЛЖНОСТЬ
ПРОФЕССИЯ
СПЕЦИАЛЬНОСТЬ
МЕСТО РАБОТЫ

5

ЗАДАНИЕ: Прочтите диалог:

— Моя да́вняя прия́тельница работает в университете. Это очень престиж-ное место работы.

— А кто она по профе́ссии?

— По профессии она преподаватель.

— А какая у неё специальность? (*или:* Кто она по специа́льности?)

— Её специальность — японский язык для франкоговоря́щих. (*или:* Она специалист по японскому языку для франкоговоря́щих.)

— А на какой она должности?

— Она старший преподаватель.

Отметьте разницу в значениях слов:

1. должность
2. профессия
3. специальность
4. специалист
5. место работы

Вставьте одно из этих слов в следующие предложения:

1. В наше быстро меняющееся время школьникам трудно заранее выбирать ...

2. — Я слышала, что ваш муж окончил физический факультет МГУ. А кто он по ... ?

   — В аспиранту́ре он занимался светопроводя́щими материалами.

   — Како́е совпаде́ние! В нашу лабораторию как раз требуется такой ...

3. — Сначала Еле́на Петро́вна работала учительницей французского в гимна́зии[1], а потом начала́ преподавать в университете. Два года назад, защитив диссер-тацию, стала доце́нтом и работает теперь в петербургском отделении Институ-та русского языка.

   — Да, она меняла ... , её ... были разными, но у неё всегда была одна и та́ же ... .

4. Моя Ле́ночка служит в банке. Пока у неё невысо́кая ... , но в июне она наконец окончит свою финакаде́мию[2] и будет претендова́ть на более ответственную ... с более высоким окладом.

---

[1] Гимна́зия — в наше время: школа с гуманитарным уклоном.

[2] Финакадемия — *сокр.* от *финансовая академия.*

5. — Я уже понял, молодой человек, что вы программист. Я спрашиваю вас, в какой области вы специализи́руетесь.

— Я ... по программному обеспечению ба́нков.

— Ну вот, так бы сразу и сказали. К сожалению, ... этого про́филя у нас уже есть и эта ... занята.

— Как жаль!

— Могу предложить вам вака́нтную ... в отделе статисти́ческого программи́рования.

— Это не представляет для меня интере́са, это не моя́ о́бласть.

— Что же, не будем теря́ть времени. До свидания.

— Жаль. До свидания.

6. — У моего зя́тя очень редкая, но опасная ... — он каскадёр.

— Вот это да-а!

— А специализируется он на трю́ках с машинами. Ну, го́нки там вся́кие, сами понимаете. Поэтому киностудия — это его постоянное ...

7. В России врач — это ... престижная, но порой низкоопла́чиваемая.

8. Не защити́вшие до́кторскую диссертацию не могут занимать профессорские ... в университете.

ЗАДАНИЕ: Прочтите разговор. Проследите за употреблением выделенных слов: а) какие из них имеют не одно значение; б) в каких случаях они могут быть взаимозаменяемы?

— Ты где сейчас работаешь?

— В университете.

— В частном?

— Нет, мы на бюджете.

— Хорошо получаешь?

— Куда уж там хорошо! Как все **бюдже́тники**, живу от зарплаты до зарплаты. **Чиновники** из Минобразова́ния[1], правда, считают, что раз с января нам вдво́е подняли зарплату, то нет причин жаловаться. Что ж, и то верно: мы были ни́щими — стали бедными. Формали́сты, **бюрократы** несчастные...

— Ну, не все **должностны́е лица** — бюрокра́ты. И среди чиновников есть такие, кто не формально свою работу делает, а долг перед людьми исполняет. Мно́гие **чиновники** не ради чинов служат, а пользу стремятся государству принести. Но быть **госслужащим**, когда государство проводит реформы, не сахар[2].

---

[1] Минобразова́ния — сокр. от Министерство образования.

[2] Не сахар — разг. о чём-то трудном.

ЗАДАНИЕ: А что бы вы могли рассказать о своей стране?

1. Много ли у вас чиновников? А бюрократов? Как к ним относятся люди? В вашей стране уважают госслужащих? Все ли должностные лица относятся к числу высокообразованных людей?

2. Кто больше получает в вашей стране: бюджетники или работники частных предприятий? От чего это зависит?

ЛАДИТЬ — СПРАВЛЯТЬСЯ

ЗАПОМНИТЕ, что глаголы *ладить/поладить* и *справляться/справиться* не являются синонимами.

ладить/поладить

с кем?

1) иметь нормальные, ровные отношения с кем-то:
- *Я умею ладить с людьми разных характеров.*

2) найти общий язык, договориться:
- *Спор шёл долго, но наконец стороны поладили.*

справляться/справиться

с чем?

1) суметь, оказаться способным выполнить какую-то работу или задание, правильно воспользоваться чем-то:
- *Он легко справился с задачей, потому что прекрасно знал теорию.*
- *Старушка была подслеповата и долго не могла справиться с замком своей квартиры.*

с кем? с чем?

2) победить кого-то, что-то:
- *Канадские хоккеисты на чемпионате мира в 2008 году не смогли справиться с российской командой.*
- *Пожарным было не просто справиться с огнём.*

с чем?

3) выйти из какого-то неприятного положения:
Его организм довольно быстро смог справиться с болезнью.

ЗАДАНИЕ: Проверьте, хорошо ли вы поняли разницу между этими глаголами: выбрав подходящий глагол (*справляться/справиться* или *ладить/поладить*), поместите его в нужной форме вместо точек.

1. Наша семья часто переезжала с квартиры на квартиру, и мы привыкли ... с любыми соседями.

2. Бандиту удалось ... с полицейским, так как он успел выстрелить из пистолета первым.

3. Когда рядом оказалась актриса Рената Литвинова, девушка-подросток не смогла ... с волнением и выронила фломастер и фотографию кинозвезды.

4. Мне осталось ... с последним заданием по грамматике, и я буду свободна хоть до утра.

5. Братья никак не могли ... друг с другом при разделе отцовского наследства.

СТАЖ — СТАЖИРОВКА

Вспомним, как Филипп в разговоре второго урока мечтает поехать учиться в Петербургский университет:

• *А теперь очень хочу пожить там немного и, если удастся, пройти стажировку в тамошнем университете.*

А в диалоге этого урока Роман сожалеет, что он никогда ранее не работал на предприятии:

• *Честно говоря, деньги небольшие. Будь у меня стаж, стал бы я на таких условиях на них пахать! Но опыт работы у меня, увы, нулевой.*

9

ЗАДАНИЕ: Опираясь на данные выше примеры, объясните разницу между существительными *стаж* и *стажировка*.

10

ЗАДАНИЕ: Вставьте данные слова в диалоги.

1 стажироваться
2 стажёр(ка)
3 стажировка
4 стаж

— Моей Лёночка уже двадцать семь, а ... у неё всего три месяца.
— Да что вы говорите! Три месяца? Совсем ничего. А что так?
— Сначала студенткой была. Потом замуж вышла, внучка[1] мне родила. Какое уж тут работать!
— И куда она теперь устроилась?
— Сразу на работу не взяли. Говорят, ... пройти надо. Так что взрослый человек, а как девчонка-... бегает, ксероксы начальству в фирме делает да кофе разносит.
— И долго ей ещё ... ?
— Ещё пару недель. А там, глядишь, и на постоянное место возьмут.
— Дай бог, дай бог.

11

ЗАДАНИЕ: Прочитайте текст. Используя выделенные слова и выражения, расскажите, какую роль в жизни людей в вашей стране играют мобильные телефоны.

Мобильная телефонная связь стремительно изменила мир. В городской толпе, в салоне автобуса, в парке всегда есть те, кто не может и минуты провести без любимой игрушки — **мобильника**.

Школьники хвастаются друг перед другом последними моделями модных **трубок**. Они не столько разговаривают по **мобиле**, сколько используют его для фотографирования, игр, прослушивания музыки. Они быстрее взрослых умеют набирать текстовые сообщения и шлют **эсэмэски** по поводу и без; впрочем, **«бросить», «скинуть» какую-нибудь новость эсэмэской** часто просят своих детей и вечно занятые родители.

Иметь «крутой» **мобильный телефон** — мечта каждого подростка, ведь стоимость аппарата, по их убеждению, красноречиво говорит о «крутизне»[2] его владельца.

---

[1] Внучок — *разг., ласк.* от *внук.*
[2] Крутизна — *жарг.* здесь: престижность.

Пожилые люди более экономны, больше времени проводят дома, поэтому предпочитают говорить по городской линии.

На многих предприятиях и в офисах разговаривать по **мобильному** запрещено. Также не разрешается пользоваться **сотовыми аппаратами** в самолётах, больницах и других общественных местах. На занятиях в учебных заведениях все телефоны должны быть отключены, а на экзамены приносить их строго запрещается.

Некоторые заводят по нескольку номеров мобильных телефонов: один, чтобы разговаривать с коллегами по работе, другой — с близкими и друзьями.

По статистике, самым частым вопросом, звучащим из **мобильника**, является: «Ты где?» — на который обычно отвечают: «Уже подхожу!» На этих четырёх словах компании **сотовой связи** зарабатывают миллионы...

12

ЗАДАНИЕ: Вставьте данные ниже слова в мини-диалоги.

мобильник	звонок (звонки)
эсэмэска	городской
автоответчик	голос
модель	роуминг
трубка	номер

1. — Я дома. Перезвони мне на (1) ... , а то я плохо тебя слышу, связь прерывается.
   — Странно, я слышу твой (2) ... прекрасно.

2. — Алло! Каким рейсом ты прилетаешь?
   — У меня нет номера под рукой.
   — Найдёшь — скинь мне его (3) ... на мой (4) ... , потому что я сейчас иду на встречу с директором и (5) ... с собой не беру.

3. — Я, кажется, опять потеряла свой (6) ... . Нигде не вижу.
   — Не переживай из-за этой старомодной (7) ... . Я тебе куплю последнюю (8) ... с сенсорным экраном.
   — И не думай! Что выбрасывать деньги на ветер[1], я всё равно и новый (9) ... где-нибудь забуду.

4. — Вчера прихожу домой, а у меня на (10) ... сообщение о том, что я выиграл бесплатный тур в Тунис!
   — Это наверняка обман: разве ты участвовал в конкурсе?

5. У новых (11) ... мобильных телефонов большая память, благодаря чему в них удобно хранить музыкальные файлы и картинки, которые можно дать послушать и показать школьным друзьям.

6. — Я тебе названивал весь вечер, Анжелка. Где ты была? Почему (12) ... не брала?
   — Ой, Антош, я на дискаче[2] была, такой грохот, что (13) ... не услышать.
   — Да, заставила ты меня подёргаться[3], сестрёнка. Зачем же я тебе дарил (14) ... , если ты не отвечаешь на мои (15) ... ?

---
[1] Выбрасывать (бросать) деньги на ветер — *разг.* бесполезно тратить деньги.
[2] Дискач — *жарг.* дискотека.
[3] Подёргаться — *жарг.* здесь: поволноваться.

7. Акция! Компания «Космос» предлагает абонентам тарифа «+Тур+» скидки на (15) ... в Турции и Египте с 15 мая по 15 сентября. Для получения дополнительной информации вышлите (16) ... или позвоните по (17) ... 123456. Этот (18) ... бесплатный!

ФРАЗЕОЛОГИЯ

13

ЗАДАНИЕ: Поддержите разговор, используя в своих репликах один из фразеологизмов.

> **а) Доброе слово и кошке приятно;**
> **б) Я у тебя в долгу́ не останусь;**
> **в) (Кто?) уже в курсе;**
> **г) Башка́ не варит;**
> **д) (Кому?) хоть бы что**

1. — Ну, как твои родители? Помирились после ссоры?
   — ... Быстро же новости разлетаются.

2. — Слушай, мне сегодня Мари́на наконец-то назначила свидание. А у меня, как назло́, дежу́рство вечером. Будь другом, подежурь за меня.
   — Без проблем. Рад тебе помочь.
   — Вот спасибо. ...

3. — Господи! Что ты делаешь? Ты же сейчас весь текст потеряешь. Эту команду нельзя использовать, не сохранив фа́йла.
   — Ой, чёрт! С утра у меня никогда ...

4. — Так: блю́да не расставлены, салфетки не положены, вино не открыто. Через 10 минут гости придут — а ей ... Боже, неужели это я такую никудышную хозяйку воспитала?!

5. — Ты просто свети́лся от счастья[1], когда шеф[2] тебя хвалил.
   — Ещё бы! ...

14

ЗАДАНИЕ: Составьте небольшие диалоги, используя фразеологизмы предыдущего задания.

---

[1] Светиться от счастья — *разг.* иметь счастливый вид.
[2] Шеф — *разг.* начальник, руководитель.

ГРАММАТИКА

> ## КАКОЙ УЖ ТАМ КОФЕ!
>
> ## КУДА УЖ ТАМ — ГАРАНТИИ.
>
> ## ГДЕ УЖ МНЕ ВЫБИРАТЬ!

— так по-русски можно выразить своё *скептическое отношение* к чему-либо. Частица *уж* в данной конструкции не является обязательным элементом: она служит для усиления значения.

15　**ЗАДАНИЕ:** Сообщите собеседнику, что его предположение кажется вам маловероятным. Обратите внимание, что в данной конструкции вопросительные слова могут свободно заменяться:

| где, куда, какой | + | (уж) | + | (кому) | + | любая часть речи |

1. — Вы, наверное, всей семьёй летом поедете к морю?
　— ... Ты же знаешь, Филипп, что отец уже год как работу потерял.

2. — Роман не примет, думаю, предложения этой компьютерной фирмы. Ему неохота вкáлывать по вечерам, да ещё за мúзерную[1] зарплату.
　— ... В стране с работой напряжёнка.

3. — Думаю, Ромáна не зря на собеседовании о водительских правах[2] спрашивали. Должно быть, ему фирма предоставит служебную машину[3].
— ... Предоставят, жди. Дай бог, чтобы проездной[4] оплатили, а то и вовсе за свои крóвные придётся по городу мотáться.

4. — Думаю, что приглашённому преподавателю составят самое удобное расписание занятий в нашем университете. Всё-таки он гость.
　— ... Составят, жди. Пусть радуется, если 8 часов занятий на все пять рабочих дней не растáнут.

5. — Думаю, что наша лаборатория даст тебе возможность стажировки за границей.
　— ... Пусть хоть на месте меня всем необходимым для опытов обеспечат.

16　**ЗАДАНИЕ:** А теперь работаем в парах. Используя конструкции из предыдущего задания, составьте по три фразы таким образом, чтобы собеседник мог выразить скептическое отношение к тому, о чём вы говорите.

---

[1] Мúзерный — *разг.* очень маленький.

[2] Водúтельские правá — *офиц.* документ, дающий право водить машину.

[3] Служéбная машина — автомобиль, предоставляемый для выполнения служебных обязанностей.

[4] Проездной — билет для проезда на городском транспорте (обычно на месяц).

ЕЙ БЫ В ФСБ СЛУЖИТЬ.

Обратите внимание на конструкции с инфинитивом.
- *Всё бы ей у меня выведать.*
- *Таким бы дамочкам в ФСБ служить: расспросила обо всём.*

17 **ЗАДАНИЕ: Какая из конструкций служит для передачи** *идеи желания*, **а какая — для выражения** *пожелания* **(совета)? Замените их синонимичными. Обратите внимание, что с точки зрения грамматики это одна и та же конструкция, где в зависимости от ситуации может употребляться инфинитив как НСВ, так и СВ.**

18 **ЗАДАНИЕ: В ответ на какие реплики могли бы прозвучать такие фразы?**

1. — ...
— А ей бы только о своей собáчке рассказать. Всё равно, о чём бы разговор ни зашёл.

2. — ...
— Ему бы только новые тря́пки[1] покупать. А по́вод для этого всегда найдётся.

3. — ...
— Ната́лье бы на сцене выступать. Такой голос!

4. — ...
— Тебе бы только сестру подразни́ть. Вредный[2] какой!

19 **ЗАДАНИЕ: Преобразуйте следующие предложения так, чтобы** *желание (пожелание)* **было выражено инфинитивной конструкцией.**

1. Хорошо было бы, если бы ты смог отремонтировать квартиру за лето.

2. Я хотел бы пересмотреть фильм «Мне не бо́льно» с актёрами Литви́новой и Дю́жевым.

3. Погода-то какая! Поехали бы за́ город да хоть часо́к по́ лесу поброди́ли, а то всё в четырёх стена́х сидите[3].

4. Не понимаю, почему старики не хотят фруктовые деревья на своей даче сажать? Одна карто́шка и морко́вка всю землю занимает. И зачем им столько овоще́й?

5. У Васи́лия Ки́мовича юбилей на днях. Сергею сто́ило бы уже о пода́рке подумать. А он и в у́с не дует[4].

---

[1] Тря́пки — *жарг.* одежда.
[2] Вре́дный — *простореч.* недоброжелательный (о человеке).
[3] Сидеть в четырёх стена́х — *фразеолог.* сидеть дома, не выходить на улицу.
[4] В ус не дуть — *разг.* не беспокоиться, не заботиться.

ТЕБЕ МЕСТО НЕ НАЙТИ?

• *«А тебе ещё одно такое место не найти?»* — интересуется Роман возможностями Филиппа.

20 **ЗАДАНИЕ: Вас заинтересовали возможности ваших знакомых. Как вы их об этом спросите? Используйте конструкцию** кому + не + инфинитив СВ**?**

1. — Представляешь, отец потерял работу.
   — ...

2. — Знаешь, я что-то недоволен ту́ром, который мне предложило аге́нтство, зря я за него такие деньги вы́ложил.
   — ...

3. — Слышал, у Фёдора был пожар. Ужас! Как же он теперь квартиру будет в порядок приводить?
   — ...

4. — Представляешь, участники симпозиума планировали закончить обсуждение всех проблем за четыре часа, а уже седьмой час пошёл.
   — ...

5. — Романа не устра́ивают условия контракта, предложенные ему компьютерной фирмой.
   — ...

6. — Купил я Ма́ньке ро́зовенькую такую блу́зку, а вдруг вчера слышу: она подруге по телефону говорит, что терпеть не может розовый.
   — ...

7. — Говорят, что результаты эксперимента не слишком убедительны. А я-то надеялась, что моё открытие станет сенсацией в биологии.
   — ...

БУДЬ У МЕНЯ СТАЖ, СТАЛ БЫ Я НА НИХ ПАХАТЬ!

• *«Будь у меня стаж, стал бы я на таких условиях на них пахать!»* — говорит Роман.

21 **ЗАДАНИЕ: Определите, при помощи какой конструкции Роман выражает:**
а) гипотетическое условие;
б) отрицательное последствие этого условия (вынужденный отказ от действия).
Обратите внимание на порядок слов. Представьте схематически эту модель.

ЗАДАНИЕ: Трансформируйте фразы, перестроив их по разговорной модели, использованной Романом.

1. Если бы ты откладывал потихоньку деньги, ты не стал бы брать банковский кредит.

2. Если бы студенты выучили все правила наизусть, они не стали бы каждый раз заглядывать в грамматические таблицы.

3. Если бы у Романа была возможность трудоустроить[1] сестру, он не просил бы о помощи французского друга.

4. Если бы все знали хорошо иностранные языки, никто не обращался бы к переводчикам. [отрицательное местоимение *никто* замените неопределённым с частицей *-нибудь*]

5. Если бы родители в своё время купили мне квартиру, я не снимал бы всю жизнь всякие углы[2] у других людей.

6. Если бы докторант вовремя закончил исследование, он не просил бы разрешения на продление срока обучения в докторантуре.

7. Если бы девушка меньше болтала по мобильнику, она не просила бы постоянно у родителей денег на оплату связи.

8. Если бы ребёнок был способен сам справляться с домашними заданиями, родители не искали бы для него репетитора[3].

9. Если бы ты встал пораньше, ты бы не спешил так на работу.

Я НЕ МАЛЬЧИК, У МАМЫ ДЕНЕГ НА МОБИЛЬНИК ПРОСИТЬ

Фразы такого типа вы часто можете услышать в разговорной речи. В них пропущены подчинительные союзы и союзные слова, соединяющие части сложного предложения. В письменной речи такие предложения обычно не используют. Сравните:

Я не мальчик, у мамы денег на мобильник просить.	*Я не мальчик, чтобы у мамы денег на мобильник просить.*

ЗАДАНИЕ: В следующие фразы добавьте пропущенные союзы и союзные слова: *поэтому, который, когда, если, что.*

1. Кто этот интересный мужчина, с тобой сейчас поздоровался?

2. Никто не предупредил, я на экзамен и не пришёл.

3. Мы с тобой, погода будет хорошая, загорать после обеда пойдём.

4. Заказанное такси наконец-то подъехало, родители уже на машине соседа в аэропорт отправились. Сколько же можно было ждать?

5. Мать боялась, чаем малыш обожжётся.

6. Вы, я вдруг опоздаю, без меня не уходите. Я плохо в городе ориентируюсь.

---

[1] Трудоустроить — *офиц.* найти работу.

[2] Снимать углы — *разг.* снимать некомфортное, непрестижное жильё.

[3] Репетитор — частный платный преподаватель.

РЕЧЕВАЯ ПРАКТИКА

НУ И КАК?

НУ И ЧТО В ИТОГЕ?

Вспомните, как Филипп *интересуется итогами* **собеседования.**

- — *Вчера был на собеседовании в фирме.*
  — *Ну и как?*
  — *С виду фирма солидная.*

- — *Отвели к программисту на тесты.*
  — *Ну и что в итоге?*
  — *Как обычно: «Ждите ответа. Мы вам позвоним».*

24 **ЗАДАНИЕ: Поинтересуйтесь у собеседника результатами того, что он предпринял, и пусть он вам даст краткий ответ.**

1. — Вчера был у врача, сдал все анализы.
   — ...
   — ...

2. — Ви́ктор снял новую квартиру.
   — ... Доволен?
   — ...

3. — Научный руководитель наконец-то прочитал мою дипломную работу.
   — ... Понравилось ему или, как всегда, всё исчерка́л?
   — ...

4. — На прошлой неделе отправил своё резюме́ в одну соли́дную фирму.
   — ... Пришёл ответ?
   — ...

5. — О́льга впервые испекла́ пирожки.
   — ... Все живы остались?
   — ...

6. — Ме́неджер на собеседовании меня совсем замучил: вопрос за вопросом, вопрос за вопросом.
   — ... Сказал хоть что-то вразуми́тельное?
   — ...

7. — Представь себе, наша Таню́ша покрасила волосы в мо́дный цвет.
   — ... Ей идёт?
   — ...

8. — В шесть утра уже объявили предварительные результаты выборов.
   — ... Кто победил?
   — ...

9. — Представляешь, Ко́льке отец «мерс» подарил, почти новый!
   — ... Не разбил ещё?
   — ...

В российской жизни много удивительного, и в русском языке есть много средств, чтобы выразить *удивление*. **Вспомним, как это делал Филипп:**

- *—Вот и получается: с деньгами в семье напряжёнка, а ужины для гостей царские.*
  — Надо же!

- *— Всё бы ей у меня выведать. Ну понятно, там, вопросы типа: где учились, где работали, стаж. Но зачем ей знать, кто родители, есть ли у меня водительские правá, вéрующий ли я?*
  — Да-а... Ничего себе.

А можно выразить своё удивление ещё и такими словами:

- *Да что ты говоришь!*
- *Невероятно!*
- *С ума сойти!*
- *Подумать только!*
- *Вот это да!*
- *Да ты что!*
- *Какой ужас!*
- *Ты подумай!*

25

ЗАДАНИЕ: Вы бы, наверное, тоже, как и Филипп, были многим удивлены в России. Так что попробуйте высказать своё удивление в ответ на реплики собеседника, читающего газету и сообщающего вам то, что кажется ему интересным.

1. — Знаешь, продолжительность жизни в относительно благополучной Москве сокращается быстрее, чем в среднем по России.
   — ...

2. — Представляешь, расходы на образование в Москве составляют только 13 % от всех бюджетных расходов, в то время как в среднем по России — 21 %.
   — ...

3. — По данным ГИБДД[1], в столице средняя скорость автомобильного потока составляет 25 километров в час, и всё из-за пробок.
   — ...

4. — Из-за нехватки подземных гаражей цены на них иногда достигают цены квартиры.
   — ... Нет в жизни справедливости. Одни теснятся, а другие для любимого железного коня золотые конюшни заводят.

5. — Тебе известно, что продолжительность жизни и здоровье населения на 50 % определяются óбщесоциáльными факторами и только на 13 % — качеством медицинского обслуживания?
   — ...

---

[1] ГИБДД — *аббр.* Государственная инспекция безопасности дорожного движения.

6. — Представляешь, гастроли пи́терского Ма́лого драмати́ческого[1] в Мила́не стали самыми заметными на фестивале памяти Стре́лера. Ни один другой театр не получил возможности показать так много спектаклей.
   — ...

7. — Стоимость получения образования по некоторым специальностям в МГИМО́[2] превышает размер платы за обучение в самых дорогих вузах Европы и Америки.
   — ... Дешевле за границей учиться!

8. — По статистике, больше всего иностранных студентов приезжает учиться в Россию из КНР[3].
   — ... Впрочем, чему же удивляться, ведь мы соседи.

9. — В РФ некоторые подпольные фирмы производят и продают фальшивый бензин, в результате моторы машин требуют частого ремонта.
   — ... И это в стране, где столько нефти!

10. — На территории России живут люди более 150 национальностей.
    — ...

26 ЗАДАНИЕ: Расскажите своему собеседнику что-то очень необычное, чтобы он удивился.

А КАК ЖЕ!

ЕЩЁ БЫ!

Часто ли вам приходится выражать *абсолютную уверенность* в чём-то? А помните, как друзья сообщали друг другу, что что-либо не вызывает у них сомнения?

- — *На собеседование ходил?*
  — *А как же!*

- — *Знаешь, это действует психологически.*
  — *Ещё бы!*

27 ЗАДАНИЕ: Подтвердите, что слова собеседника не вызывают у вас никакого сомнения, и аргументируйте свою уверенность.

1. — Думаю, что Филипп постарается найти для А́ньки место няни.
   — ...

2. — Роману удалось пройти собеседование в компьютерной фирме?
   — ...

3. — Ты куда-нибудь уезжаешь на каникулы?
   — ...

[1] Ма́лый драмати́ческий — Малый драматический театр в Санкт-Петербурге.
[2] МГИМО́ — *аббр.* Московский государственный институт международных отношений (университет) МИД России.
[3] КНР — *аббр.* Китайская Народная Республика.

4. — Кажется, Лари́са успешно сдаст вступительные и поступит в театральное училище на актёрское отделение, хотя конкурс там, как всегда, бе́шеный[1].
— ... У неё потрясающий голос и явный талант к перевоплощению. К тому же она красавица, и ноги буквально от шеи растут. Её место, без сомнения, на сцене.

5. — Ната́лья принимает табле́тки, которые ей выписал врач?
— ...

6. — Ты не забыл купить вина к обеду?
— ...

7. — Россияне довольны ростом мировых цен на нефть?
— ... Хотя, чтобы её добыть, надо работать во всё более отдалённых районах с суровым климатом.

28 **ЗАДАНИЕ: Сообщите своему собеседнику какую-нибудь информацию, которая не может вызвать у него сомнения. Послушайте, как он выражает свою уверенность в том, что вы сказали, и как объясняет отсутствие сомнения.**

С ЧЕГО ТЫ ЭТО ВЗЯЛ?

ЭТО НИ К ЧЕМУ.

А ЧТО?

ЧТО ТЫ!

29 **ЗАДАНИЕ: Замените выделенные реплики в диалогах одним из следующих выражений:**

а) С чего ты это взял?   в) А что?
б) Это ни к чему.   г) Что ты!

1. — Я А́ньке, должно быть, не нравлюсь.
— **Почему ты так решил, Филипп?** Наоборот, она к тебе неравноду́шна.

2. — У тебя есть свободные деньги?
— **А почему ты об этом спрашиваешь?**
— У меня ни копе́йки, а до зарплаты ещё неделя. Ты не мог бы мне сколько-нибудь одолжи́ть?

3. — Твоя мама устроила просто царский ужин в мою честь. Я напишу ей письмо с благодарностью за роскошный приём.
— **Это абсолютно не нужно.** У нас так не принято. Если хочешь, позвони и поблагодари ещё раз.

4. — Я прожил у вас неделю. Скажи, сколько я должен заплатить твоим родителям, я не в курсе ваших цен.
— **Ты меня удивляешь!** Кто же платит друзьям за жизнь в их квартире? Ты их обидишь, если предложишь деньги. Лучше сделай необычный подарок.

---
[1] Бе́шеный — разг., экспрес. очень большой.

30

ЗАДАНИЕ: Составьте диалоги, соединяя реплики.

Ты завтра свободен?	1		а	С чего ты это взял? Я просто купил новый чемодан.
Ты куда-то уезжаешь?	2		б	Что ты! Я его вообще ещё не начинал.
Давай купим цветы, всё-таки к девушке в гости идём.	3		в	А что? У тебя есть идея, как провести вечер?
Слышал, ты уже написал реферат.	4		г	Это ни к чему. Я подарки разве что на праздники дарю.

31

ЗАДАНИЕ: Составьте разговор со своим приятелем, используйте в нём выражения из двух предыдущих заданий.

32

Аня просматривает в газете «Из рук в руки» рубрику «Объявления. Работа».

ТРЕБУЕТСЯ

■ Центру дошкольного эстетического воспитания «Буратино» требуется воспитатель с высшим педагогическим образованием. Подробности по телефону 251-47-23.

■ Частный детский сад приглашает на работу няню. Наличие опыта работы желательно. Справки по телефону 161-53-65, Нина Ивановна. В дневное время.

■ Семья банковского служащего срочно ищет гувернёра для мальчиков 4 и 6 лет. Рекомендации с предыдущих мест работы обязательны. Обращаться по телефону 316-74-32 до 22 ч.

■ Молодая семья ищет няню для девочки 1,5 лет. Работа по необходимости (вечернее время, выходные). Тел. 447-89-56.

ЗАДАНИЕ: Прочитав объявления, Аня решила позвонить всем. По какому телефону ей стоило бы позвонить сначала? Почему?

33

Аня говорит по телефону, но её собеседников мы не слышим. А очень хотелось бы знать, что они говорят девушке.
ЗАДАНИЕ: Восстановите реплики Аниных собеседников.

(1)

— Здравствуйте, это центр дошкольного воспитания «Буратино»?
— …
— Я звоню по объявлению, которое вы дали в газете «Из рук в руки». Я хотела бы работать у вас.
— …
— Нет, я ещё школьница. Я учусь в 9 классе. Но мне не составляет труда ладить с детьми. Думаю, что я бы справилась с такой работой.
— …
— Так вот оно что. Ну что ж, извините за беспокойство.
— …

(2)

— Добрый день, это детский сад?
— …

— Ой, простите, я не туда попала. Наверное, номер неправильно набрала или в газете опеча́тка. Я ведь по объявлению звоню. Это 161-53-65?

— ...

— Извините, пожалуйста, за беспокойство.

— ...

③

— Добрый день, будьте любезны, позовите Ни́ну Ива́новну к телефону.

— ...

— Ни́на Ива́новна?

— ...

— Здравствуйте. Я звоню по объявлению насчёт работы. Я ищу место няни.

— ...

— Нет, никогда. Но я часто помогаю соседке с её малыша́ми. Мне кажется, у меня получается.

— ...

— Так значит, это только на время отпуска штатной няни? Ну что же, для начала и это подойдёт.

— ...

— Да, запишите, пожалуйста: 106-21-47. Буду ждать вашего звонка. До свидания.

④

— Добрый вечер, я звоню по объявлению. Вы ищете гувернёра для своих мальчиков, я готова выполнять эту работу.

— ...

— Но, может быть, вам и гуверна́нтка подойдёт?

— ...

— Рекомендаций, к сожалению, нет, но...

— ...

Аня кладёт трубку:
— Тоже мне хозяева жизни! Мужчина, опыт, рекомендации... Подумаешь, не очень-то и хотелось! Ей бы не для сыновей, а для себя гувернёра найти. Чтобы вежливо разговаривать научил.

⑤

— Добрый вечер, извините за поздний звонок. Я насчёт работы няней.

— ...

— Я заканчиваю школу. Честно говоря, опыта нет, но я очень люблю возить-ся[1] с малышами и они ко мне тянутся.

— ...

— Письмо? О себе? А у вас есть и другие кандидаты?

— ...

— Хорошо, напишу. На чьё имя?

— ...

— Да-да, записываю. Анато́лий Па́влович Ильи́н, Татья́на Миха́йловна Ла́рина. Улица Большая Грузи́нская, дом 3, квартира 20. Спасибо. Сейчас же и сяду писать.

---

[1] Возиться (с кем) — *разг.* заниматься кем-то.

34 **ЗАДАНИЕ: Помните, объявлений в газете было четыре, а Аня звонила пять раз. Почему так получилось?**
Когда Аня закончила обзванивать возможных работодателей, Роман спросил: «Ну и что в итоге?» Что ему ответила сестра?

35 Роман искренне стремится помочь сестре найти работу, но ему хочется, чтобы она пока не знала, что он подключил к этому делу Филиппа. Поэтому он закрывает дверь в свою комнату, прежде чем набрать номер своего французского друга. Мы не слышали, о чём они говорят, но, наверное, можем догадаться.
ЗАДАНИЕ: Как вы представляете себе разговор Романа и Филиппа?

36 Филипп уже обзвонил всех своих знакомых, которым могли бы пригодиться услуги Ани. И теперь у неё звонит телефон. Аня снимает трубку.

— Алло, здравствуйте, с вами говорят из Французского культурного центра.
— Откуда-откуда? Из Французского культурного центра?
— Да. Могу ли я поговорить с мадемуазéль Áнной Шам-сут-ди́-новой?
— Да, пожалуйста. Я у телефона.

ЗАДАНИЕ: А дальше мы не слышали. О чём пойдёт, по-вашему, речь?

37 Помните, как закончился третий разговор Анны по телефону? Девушка сказала: «Буду ждать вашего звонка». И вот у Шамсутдиновых звонит телефон:

— Здравствуйте, попросите, пожалуйста, Анну к телефону.
— А её нет дома.
— Простите, а с кем я говорю?
— Это Роман, Анин брат.
— С вами говорят из частного детского сада. Анна звонила нам насчёт работы. Она хотела заменить нашу няню на время её отпуска. Не могли бы вы ей передать, что завтра в 12 часов дня её будет ждать Ни́на Ива́новна Смирно́ва, наш директор. Анне нужно написать заявление.
— Конечно-конечно. Я всё передам. Спасибо за звонок. До свидания.
— До свидания.

И тут вернулась домой Аня.
ЗАДАНИЕ: Что ей расскажет Роман?

38 **ЗАДАНИЕ: Выступите в роли родителей Ани. Какой выбор они посоветуют ей сделать: няня в частном детском саду или у сотрудника французского культурного центра?**

ТЕКСТ

39   **ЗАДАНИЕ: Прочитайте текст.**

ИЗМЕНИМ СВОЮ ЖИЗНЬ К ЛУЧШЕМУ
Как успешно пройти собеседование

устроиться на работу

солидная компания

Устроиться на хорошую высокооплáчиваемую работу — сегодня предмет мечтаний многих. Это может быть труд в солидной иностранной компании, преуспевающей российской фирме, крупном банке...

Итак, после долгих поисков интересной работы вам наконец-то повезло. Вы определили для себя, чем бы вы хотели заниматься в приглянýвшейся фирме, и официально заявили о своих намéрениях. А руководство компании включило вас в длинный-предлúнный список претендентов на освободившуюся вакансию.

включить в список претендентов

кандидат на должность

предъявлять требования к претендентам

Чтобы разглядеть в вашем лице потенциального кандидата на ту или иную должность, руководство фирмы устроит для вас такое испытание, как собеседование. Какие же требования предъявляют сегодня работодáтели к претендентам на то или иное рабочее место? Как лучше подготовиться к испытанию, способному изменить вашу жизнь?

заполнять анкету

Собеседование начинается с краткого ритуала знакомства. Рукопожáтие, улыбка, представление друг другу. Чтобы дать вам возможность осмотреться, освоиться в новой обстановке, экзаменатор может попросить заполнить анкету. Постарайтесь включиться в предлóженную игру. Открытая улыбка, вежливость — вот ваша визитная карточка для начала важного разговора. Вам, скорее всего, зададут вопросы личного и профессионального характера. Например: «Сколько времени вы ищете работу? Каковы ваши профессиональные цели? Что вы считаете своим самым большим успехом и неудачей?» Ну что ж, самое время рассказать о своих жизненных перипетúях: почему вы ушли с предыдущего места работы, часто ли её меняете. Вы должны быть готовы ответить и на вопросы в отношении будущей работы. А они могут быть примерно такие: «Почему вы считаете, что подходите на эту должность? Что вам известно о фирме? Сколько вы хотите зарабатывать? Считаете ли вы, что у вас достаточно опыта?» Уверенный взгляд, твёрдый голос, лаконичные, но исчéрпывающие ответы.

уйти с работы

вопросы в отношении работы

подходить на должность

исчерпывающий ответ

успехи и заслуги

характер деятельности фирмы

Рассказывать о себе лучше в обратной хронологúческой последовательности, начиная с последнего места работы. Говоря о своих успехах и заслугах, лучше не превозносúте себя до небéс[1], но в то же время постарайтесь оценить себя по достоинству. Можно порекомендовать побольше разузнáть о характере деятельности фирмы и быть всегда готовым продемонстрировать свои по-

---

[1] Превозносúть до небéс — *разг.* чрезмерно хвалить.

достичь успехов

осв*аивать новшества

сильные стороны

быть склонным к какой-
либо деятельности
работа в области туризма

завышать/ занижать свои
достоинства

скользящий график

вторжение в личную
жизнь

дальнейшие контакты

пройти по конкурсу

знания. Например: «Я знаю, что вы достигли успехов в такой-то сфере...» Показать себя подготовленным всегда очень важно.

Ни для кого не секрет, что любая солидная фирма заинтересована найти на освободившееся место профессионала, умеющего одновременно работать по нескольким направлениям и при необходимости могущего быстро осваивать всевозможные новшества. Поэтому немаловажно произвести впечатление человека мобильного, гибкого, энергичного, всегда готового к новому профессиональному опыту. Вы должны светиться уверенностью на все сто[1] в способности выполнить порученную вам работу, проявив свои лучшие качества и используя свои сильные стороны. Поэтому сделайте акцент на умении работать в выбранной вами области.

Теперь об одежде. Если вы молоды и склонны к творческой деятельности (работа в области туризма, например), или хотите занять место продавца, скажем, спортивных товаров, некоторая экстравагантность в одежде, учитывая характер будущей работы, вполне допустима. Если же вы претендуете на работу в офисе, строгий и элегантный костюм просто незаменим. Женщинам, может быть, лучше обойтись без декольте и мини-юбок, духов с резким запахом и прочих вольностей.

Не завышайте и не занижайте своих достоинств. Если вы не успели выучить иностранный язык или, может быть, у вас неважные оценки в дипломе или аттестате, всё это отнюдь не исключает того, что вы станете хорошим работником и сумеете сделать карьеру. Однако ни в коем случае не пытайтесь обмануть экзаменатора. Даже если вам это удастся, вы рискуете получить работу, для которой будете недостаточно квалифицированы.

Во время собеседования экзаменатор постарается получить максимум информации о кандидате вплоть до религиозных и политических пристрастий и личной жизни.

Обычно вопросы, связанные с личной жизнью, объясняются характером будущей работы. Так, она может иметь скользящий график[2], и тогда подобные вопросы вполне оправданы. В этом случае экзаменатор обязательно извинится за вынужденное вторжение в вашу личную жизнь. А для вас лучшими советчиками станут откровенность и здравый смысл. Женщинам не стоит пускать в ход свои чары в отношении мужчины-экзаменатора. Здесь это вряд ли сработает.

Когда беседа закончится, прежде чем попрощаться, не уточнить ли вам, как и когда вы можете связаться с фирмой или же сама фирма свяжется с вами для дальнейших контактов? Естественно, что пройдёт какое-то время, прежде чем вы получите ответ. Так что раньше времени не расстраивайтесь. Но даже если вы и не прошли по конкурсу, не отчаивайтесь и не теряйте веру в себя. Ведь теперь у вас появился опыт. Почему бы вам не попробовать снова? В следующий раз вам обязательно повезёт.

С. Милютин, «Независимая газета», 05.11.1999

---

[1] На все сто — *разг., экспрес., сокр.* от *на все сто процентов* (т. е. абсолютно, полностью).
[2] Скользящий график — график работы с меняющимся расписанием.

ПРОВЕРИМ, ХОРОШО ЛИ ВЫ ПОНЯЛИ ТЕКСТ.

40

ЗАДАНИЕ: Ответьте на вопросы.

1. Какую работу мечтают получить современные россияне и почему?
2. Какие процедуры предстоит пройти претенденту на работу?
3. С чего начинается собеседование?
4. Какие вопросы обычно задают претендентам?
5. Как лучше построить рассказ о себе?
6. Как следует вести себя на собеседовании кандидатам на вакантную должность?
7. Как автор статьи рекомендует быть одетым на собеседовании?
8. Допустимо ли, по мнению автора, скрывать свои недостатки, проходя собеседование при приёме на работу?
9. В каком случае на собеседовании задают вопросы личного характера?
10. Может ли женское очарование помочь успешно пройти собеседование у мужчины-экзаменатора?
11. Что следует сделать, когда беседа закончится?
12. Сразу ли становится известен результат собеседования?
13. Что предпринять, если не удалось пройти по конкурсу?

 41

ЗАДАНИЕ: Поставьте слова из скобок в подходящую форму, добавляя при необходимости предлоги.

1. Каждый мечтает устроиться (высокооплáчиваемая работа): скажем, (солидная компания) или (преуспевáющая фирма).
2. Руководство банка включило (вы) (список) претендентов (освободившаяся должность).
3. Я считаю себя кандидатом (вакантное место).
4. Какие требования предъявляют работодатели (претенденты) (то или иное рабочее место)?
5. Собеседование начинается (краткое знакомство).
6. Нужно уметь быстро осваиваться (обстановка).
7. «Сначала (заполнить), пожалуйста, анкету», — предложил экзаменатор.
8. Считаете ли вы (потеря работы) (своя самая большая неудача)?
9. Три дня назад мой друг ушёл (своё предыдýщее место) работы.
10. Вы не подходите (эта должность).
11. Я начал рассказывать о себе (обрáтная хронологическая последовательность), но кадровúк попросил говорить обо всём по порядку.
12. Трудно бывает оценить себя самого (достоинство).
13. Профессионал умеет одновременно работать (несколько направлений).
14. (Что) лучше сделать акцент в этом докладе?
15. Немногие люди склонны (творческая деятельность).
16. Допустима ли экстравагантность (одежда) на собеседовании?
17. Женщинам лучше обойтись (мини-ю́бки), а также без (духи) с резким запахом.
18. Кадровик стремился разузнать обо всём вплоть (религиозные и политические пристрáстия).
19. Извинись (вы́нужденная задéржка).
20. Терпеть не могу постороннего вторжения (моя личная жизнь).
21. Никогда нельзя терять веру (своя удача).

СЛОВООБРАЗОВАНИЕ

РАБОТАТЬ

42

ЗАДАНИЕ: Понаблюдайте за функционированием группы однокоренных слов. Определите, как меняют аффиксы значение глагола *работать*.

1. Отец Романа проработал архитектором с четверть века.

2. Я люблю такую работу: отработал положенное количество часов — и свободен, никакой траты личного времени.

3. Сколько в среднем зарабатывают в месяц школьные учителя?

4. Наконец-то наша фабрика заработала снова, а то целый год как заказов не было.

5. С утра я поработал пару часов и пошёл прогуляться.

6. Многие студенты вынуждены подрабатывать: на стипендию не проживёшь.

7. Сегодня я едва доработала до конца смены: ужасно было душно.

8. Что-то ты совсем заработался. На тебе лица нет[1]. Хватит! Пойдём прогуляемся.

9. Мой приятель доработался на компе до ухудшения зрения.

10. Ну нет! С ненадёжными фирмами я больше не связываюсь. Наработался уже вдо́воль за бесплатно.

11. Взрывно́е устройство, подло́женное под дни́ще машины банкира, к счастью, не сработало.

43

ЗАДАНИЕ: Замените фразы синонимичными, используя глагол *работать* **с разными префиксами.**

1. Я так долго работал, что у меня закружилась голова.

2. Он слишком долго работал в этой компании, больше не хочет, теперь решил свою фирму открыть.

3. Никто не знает, когда закрытый на ремонт бассейн снова начнёт работать.

4. Как долго ты работал в этой компании?

5. Это её основная работа или она здесь работает лишь время от времени, чтобы иметь дополнительный доход?

6. Сколько лет вы работали на прежнем месте и сколько вам там платили?

7. На сегодня всё. Я уже закончила работу.

8. Что-то, сыно́к, ты не очень-то много сегодня работал!

9. Почему вы ушли с работы уже в четыре часа? Ведь ваша смена заканчивается в семь.

10. Сигнализация по неизвестным причинам не начала работать, и грабителям удалось вынести из киоска по продаже мобильных телефонов практически весь товар.

---

[1] Лица́ нет (на ком?) — *разг.* о человеке, который плохо выглядит из-за болезни, усталости или беспокойства.

ЛЕКСИКА

ПРОБОВАТЬ — ПЫТАТЬСЯ — СТАРАТЬСЯ

Глаголы *(по)пробовать, (по)пытаться, (по)стараться*, сочетаясь с инфинитивом, имеют значение **осуществлять попытку делать/сделать что-либо**.

Они синонимичны во фразах, акцентирующих нацеленность попытки на достижение результата:

- *Австрийские лыжницы пробовали/пытались/старались обойти в эстафете итальянских соперниц, но оказались не на высоте.*

Глаголы имеют различия в семантике:

а) *стараться* не может указывать на осуществление попытки как таковой без акцентирования результата действия. Следовательно, не может употребляться во фразах, сочетаясь с инфинитивом НСВ, называющим действие как таковое.

- *Димка, ты так точно умеешь в нескольких словах выразить характер человека! Ты никогда не пробовал/пытался писать, ну, например, рассказы?*

(*стараться* здесь употребить невозможно, так как *писать* называет действие как таковое без акцентирования результата)

б) *стараться* означает действие, для реализации которого прилагаются очень интенсивные и продолжительные усилия, *пытаться* — меньшие, *пробовать* — ещё меньшие. Поэтому только глагол *стараться* сочетается с наречиями типа *очень, сильно*.

- *Ребёнок, перейдя в другую школу, очень старался наладить отношения с новыми одноклассниками и учителями.*

(*пытаться/пробовать* не может быть употреблено в этой фразе)

ЗАДАНИЕ: Правильно ли вы поняли наши объяснения? Проверьте себя: заполните таблицу, вычеркнув один из ответов *есть/нет*.

Сходства и отличия в значении и употреблении глаголов
(по)пробовать, (по)пытаться, (по)стараться

а) Значение.

Критерии оценки	*Пробовать*	*Пытаться*	*Стараться*
1) Возможность обозначать попытку действия, нацеленную на результат.	есть/нет	есть/нет	есть/нет
2) Возможность обозначать попытку как таковую без акцентирования результата.	есть/нет	есть/нет	есть/нет
3) Возможность обозначать очень интенсивные и продолжительные усилия для осуществления попытки.	есть/нет	есть/нет	есть/нет

б) Употребление.

Критерии оценки	Пробовать	Пытаться	Стараться
1) Возможность сочетаться с НСВ, называющим действие как таковое без акцентирования его характера или результата.	есть/нет	есть/нет	есть/нет
2) Возможность сочетаться с наречиями типа *очень, сильно*.	есть/нет	есть/нет	есть/нет

 45

ЗАДАНИЕ: Вставьте глаголы *(по)пробовать, (по)пытаться, (по)стараться* **в предложения. Укажите, где можно использовать несколько вариантов.**

1. Маля́р ... смешивать разные краски, прежде чем ему удалось подобрать тон, который понравился заказчице.

2. Трудно упрекать человека, если он не смог успешно завершить дело, но истратил на него уйму времени и сил, потому что он ... достичь результата.

3. Сын очень ... понять, о чём спорят родители, но они говорили совсем тихо.

4. В течение всего своего пребывания в Москве турист из Саудовской Аравии ежедневно ... попасть в Большо́й театр, но достал билет только в последний день.

ГРАММАТИКА

46

ЗАДАНИЕ: Просмотрите ещё раз текст «Изменим свою жизнь к *лучшему*». Выпишите фрагменты, которые содержат рекомендации, советы. Проанализируйте, какими грамматическими конструкциями пользуется автор. Составьте таблицу «Способы выражения *рекомендации, совета* **в русском языке».**

47

ЗАДАНИЕ: Сравните свою таблицу с нашей. Проверьте, всё ли у вас получилось так же, как у нас. Дополните нашу таблицу своими примерами из текста.

1. *Рукопожатие, улыбка, представление друг другу.*	существительное в им. падеже + существительное в им. падеже + существительное в им. падеже...
2. *Рассказывать о себе лучше в обратной хронологической последовательности.* *Женщинам, может быть, лучше обойтись без мини-юбок.*	*лучше* + инфинитив
3. *Лучше не превозноси́те себя до небе́с.*	*лучше* + императив
4. *Сделайте акце́нт на умении работать.*	императив
5. *Можно порекомендовать побольше разузнать о характере деятельности фирмы.*	*можно (по)рекомендовать* + инфинитив

6. *Показать себя подготовленным всегда очень важно.*	*важно* + инфинитив
7. *Вы должны светиться уверенностью на все сто.*	*кто? должен* + инфинитив
8. *Не стоит пускать в ход свои чары.*	*(не) стоит* + инфинитив
9. *Не уточнить ли вам, как и когда вы можете связаться с фирмой?*	*не* + инфинитив СВ + *ли* + *кому?*
10. *Почему бы вам не попробовать снова?*	*почему бы* + *кому* + *не* + инфинитив?

48 **ЗАДАНИЕ: Предложите несколько** *рекомендаций* **или** *советов* **в ответ на вопрос своего собеседника, используя для этого разные грамматические конструкции.**

1. — Перестала устраивать меня моя работа. Как бы мне помя́гче сообщить начальнику, что намерена уволиться?
   — ...

2. — Для знающих языки сегодня открываются огромные возможности, но мне уже тридцать. Наверное, поздно начинать изучать иностранный язык?
   — ...

3. — Не знаешь, работу на компьютере в моём возрасте трудно осво́ить?
   — ...

4. — Опять пачка новых законов вышла! Вот и поработай тут, если всех этих новшеств не знаешь!
   — ...

5. — Слушай, стала уставать от работы, просто ужас. До обеда ещё куда ни шло, а к вечеру е́ле-е́ле ноги таскаю[1].
   — ...

6. — Дочь совсем от рук отби́лась[2]: ни работать, ни учиться не хочет! Одни мальчики в голове.
   — ...

7. — Шеф дал новый проект, к нему уйму[3] технической документации, а я в технике ни бум-бум[4]!
   — ...

8. — Рождество на носу, устроить бы что-нибудь необычное. Но ничего оригинального на ум не приходит!
   — ...

---

[1] Е́ле ноги таска́ть — *разг.* о человеке в плохой физической форме из-за чрезмерной усталости или болезни.

[2] От рук отби́ться — *разг.* не слушаться (обычно о ребёнке).

[3] У́йма — *разг.* очень много.

[4] Ни бум-бу́м — *разг.* о человеке, который не разбирается в чём-либо.

9. — Я третий год без отпуска. Совсем заработался.
   — ...

10. — Завтра на собеседование идти, а у меня ка́ша в голове[1]. Не представляю, как мне сосредото́читься.
    — ...

11. — Разосла́ла повсюду своё резюме́[2] и столько предложений в ответ получила, что голова кру́гом идёт[3]. Какое выбрать — не знаю.
    — ...

СТИЛИСТИКА

ОФИЦИАЛЬНО-ДЕЛОВАЯ РЕЧЬ

СФЕРА УПОТРЕБЛЕНИЯ
- официальные и деловые документы,
- официальные выступления.

ЖАНРЫ
- закон,
- протокол,
- инструкция,
- договор,
- резюме (CV),
- другие деловые документы.

ХАРАКТЕРИСТИКИ
- точность и однозначность,
- отсутствие личностного начала,
- преобладание клишированных речевых средств (высокая степень унификации и повторяемости слов),
- отсутствие эмоционально окрашенных речевых средств.

Пример 1
- *Статья 1. Настоящий Федеральный закон вступает в силу со дня его официального опубликования и действует по 31 декабря 2000 г.*

Пример 2
- *Опыт работы: юрисконсульт (Российская медицинская ассоциация, Санкт-Петербургское отделение), 2007 г. — настоящее время.*

---

[1] Ка́ша в голове (у кого?) — *разг.* о человеке, у которого в голове перепуталась разная информация.

[2] Резюме́ (CV) — краткая биография, предоставляемая претендентом при найме на работу.

[3] Голова идёт кру́гом (у кого?) — *разг.* о человеке, у которого слишком много дел и проблем и который поэтому теряет способность ясно всё понимать.

ЗАДАНИЕ: Из текстов какого жанра взяты, по вашему мнению, предложения примеров 1 и 2?
Давайте подберём к речевым элементам первого из примеров стилистически нейтральные эквиваленты:

Речевые средства официально-делового стиля	статья 1	настоящий	федеральный	закон
Стилистически нейтральные речевые эквиваленты	—	этот	—	закон
Речевые средства официально-делового стиля	вступает в силу	со дня его официального опубликования	и действует	по 31 декабря 2000 г.
Стилистически нейтральные речевые эквиваленты	начнёт действовать	как только его опубликуют	и будет действовать	до конца двухтысячного года

Преобразуем второй пример с использованием стилистически нейтральных языковых средств.

Предложение в официально-деловом стиле:
Опыт работы: юрисконсульт (Российская медицинская ассоциация, Санкт-Петербургское отделение), 2007 г. — настоящее время.

Его стилистически нейтральный эквивалент:
У меня есть опыт работы: с две тысячи седьмого года я работаю юрисконсультом в Петербургском отделении Российской медицинской ассоциации.

ЗАДАНИЕ: Преобразуйте следующие примеры, заменяя речевые средства, характерные для официально-делового стиля, элементами нейтрального стиля.

1. Образование: юридический факультет Санкт-Петербургского государственного университета, 2006 г. — настоящее время.

2. Центру дошкольного эстетического воспитания требуется воспитатель с высшим педагогическим образованием.

3. Граждане Российской Федерации имеют право на материальное обеспечение в старости.

4. В Федеральном законе «О потребительской корзине в целом по Российской Федерации» объём потребления хлебных продуктов на одного человека в год измеряется в килограммах.

РЕЧЕВАЯ ПРАКТИКА

51 **Аня впервые пишет письмо возможному работодателю. Чуть ли не для каждой фразы она подбирает различные варианты и всё думает: «А как сказать лучше?» Помогите ей выбрать наиболее подходящий вариант. Прочитайте, какое письмо у Ани в итоге получилось.**

Уважаемый г-н[1] А. П. Ильи́н!
Уважаемая г-жа Т. М. Ла́рина!
Уважаемые работода́тели!
Уважаемые господа!

Я увидела Ваше объявление в газете.
Я прочитала Ваше объявление в газете.
Я обратила внимание на Ваше объявление в газете.
Моё внимание привлекло Ваше объявление в газете.
Меня заинтересовало Ваше объявление в газете.

У меня ещё нет опыта работы.
У меня есть возможность работать только два раза в неделю.
У меня есть время для работы по вечерам.

Я внимательная, самостоятельная, инициативная, энергичная, я творчески подхожу к выполнению любой работы, я ответственная, открытая для новых знаний, легко усваивающая новое, заботливая, аккуратная, терпели́вая, чистопло́тная, исполни́тельная, пунктуальная, дисциплини́рованная.

Я люблю детей.
Мне нравится работать с детьми.
Работа с детьми мне по душе.
Я легко устанавливаю взаимный контакт с детьми.
Я люблю возиться с детьми.
Мне нравится заниматься с детьми.
Мне нравится заниматься детьми.
Дети тя́нутся ко мне.
Я знаю, как воспитывать детей.
Воспитание детей — моё призвание.
Мне интересно ухаживать за детьми.
Мне нравится заботиться о детях.

На меня можно рассчитывать.
На меня можно положиться.
Мне можно доверять, потому что я добросовестный, надёжный, аккуратный работник.

Надеюсь, что моя кандидатура вызовет у Вас интерес.
Надеюсь, что моя кандидатура Вам подойдёт.

С уважением,
Анна Шамсутди́нова
Москва, 25 января 2009 г.

---

[1] На письме слова *господин*, *госпожа* могут иметь сокращённый вид *г-н*, *г-жа*. Произношение при этом остаётся полным.

52

Вот какое заявление о приёме на работу написала Аня.

Директору частного детского сада «Буратино»
Смирно́вой Ни́не Ива́новне
Шамсутди́новой Анны Тиму́ровны,
проживающей по адресу:
Москва, ул. Танки́ста Соро́кина, д. 5, кв. 156

Заявление

Прошу принять меня на работу в качестве няни на время о́тпуска шта́тного сотрудника Р. Шполя́нской с 20 марта по 18 апреля 2001 г.

1 марта 2001 г.Анна Шамсутди́нова

ЗАДАНИЕ: А как бы вы написали подобное заявление, если бы хотели заместить:

а) библиотекаря в вашем университете;
б) продавца в книжном магазине «Гло́бус»;
в) воспитателя в детском саду при посольстве России во Франции;
г) переводчицу в турагéнтстве?

53

ЗАДАНИЕ: Ознакомьтесь с одним резюме, которое вызвало большой интерес у работодателей. Отметьте, о каких аспектах своей биографии сообщает Юлия Погодина. Как вам кажется, чем привлекла работодателей её кандидатура? Пользуясь этим CV как образцом, составьте собственное.

Юлия Александровна ПОГОДИНА
193024, Россия, Санкт-Петербург,
Невский пр, д. 154, кв. 40
Телефон: (812) 487-02-22

ЦЕЛЬ

Позиция начального уровня:
набрать опыт практической работы в международной компании, внести свой вклад в работу коллектива и показать себя творческим и целеустремлённым человеком, для того чтобы остаться работать в компании после окончания учёбы.

ОБРАЗОВАНИЕ

Юридический факультет Санкт-Петербургского государственного университета, *2006 г. — настоящее время.*
Специализируюсь в международном налогообложении и финансовом праве.
В настоящее время студентка IV курса.
Участник I Московского международного молодёжного форума «Образование — Карьера — Занятость», *18–21 октября 2007 г.*
Выступала с докладами «Объект подоходного налога с физических лиц» и «Особенности российского законодательства в сфере аудита», принимала участие в тренингах «Лидерство», «Эффективное построение карьерного роста».
Курсы пользования ПК[1] (Word, Excel, Windows, Internet), *1998 г.*
«Эффективное выступление» (4-днéвный курс в международной трéнинговой фирме), *2007 г.*

---

[1] ПК — произносится: [пэка́].

Курсы гидов-переводчиков (английский язык), *2004–2006 гг.*
Французский язык, *1993 г. — настоящее время*,
включая курсы *Alliance Française* при Французском институте в Санкт-Петербурге.
Специализированная школа с углублённым изучением английского языка № 169, *1996–2006 гг.* педагогический класс.
1-е место в городской олимпиаде по литературе, *2005 г.*

ОПЫТ РАБОТЫ
Юрисконсульт (Российская медицинская ассоциация, Санкт-Петербургское отделение), *2007 г. — настоящее время.*
Провожу юридические консультации, составляю договоры, перевожу с английского на русский документы и деловую переписку.
Автор и организатор курсов «Косметология и макияж», «Стиль и имидж», *2007–2008 гг.* Разработала оригинальные программы обучения, занималась поиском помещения и рекламой курсов, провела семинары с тремя группами.
Учитель английского языка, *2005 г. — настоящее время*, включая педагогическую практику в школе, частные уроки.
Обучаю взрослых и учащихся младших классов по индивидуальным программам с использованием игровых упражнений.

РЕКОМЕНДАЦИИ   По Вашему требованию.

54

ЗАДАНИЕ: Расскажите о себе, выбирая стиль речи, подходящий к следующим ситуациям:
а) вы ищете работу и на собеседовании представляете себя;
б) вы заскучали без близкого человека в России во время своей длительной стажировки. И вот в газете под рубрикой «Знакомства» ваше внимание привлекло одно объявление. Вам захотелось познакомиться с человеком, давшим это объявление. Какое письмо о себе вы напишете ему?

> **М-1256.** Молодой человек, 29 лет, студент медицинского факультета, интересующийся искусством и музыкой, любящий природу и путешествия, хотел бы познакомиться с людьми того же круга интересов, ровесниками.

РОССИЯ ГЛАЗАМИ ИНОСТРАНЦА

Пытаясь подыскать работу для Ани, Филипп убеждает своего знакомого из французского посольства нанять её в качестве гувернантки. При этом он описывает тяжёлое положение, в котором оказалась семья, когда её глава потерял работу, и деловые качества девушки.

55

ЗАДАНИЕ: Представьте, что вы и есть многодетный работник посольства и как раз ищете гувернантку, но, прежде чем взять кого бы то ни было, хотите увериться в том, что кандидат действительно подходит для этой работы. Задайте Филиппу все возможные вопросы, принимая во внимание реальные условия жизни молодой москвички.

ДИСКУССИЯ

56 **ЗАДАНИЕ: Примите участие в беседе в продолжение темы «Одна забота — найти работу».**

1. Вспомните, как Роман оделся, собираясь на собеседование. Какие советы по внешнему виду даёт автор статьи? Неужели внешний вид и одежда могут сыграть решающую роль при приёме на работу? Расскажите, как бы вы оделись, собираясь на собеседование. Если бы вы сами занимались приёмом на работу, стали бы вы обращать внимание на внешний вид кандидатов?

2. Считаете ли вы допустимым расхва́ливать себя во время собеседования?

3. О каких своих положительных качествах вы упомяну́ли бы в разговоре с работодателем?

4. Следует ли честно говорить о своих недостатках или лучше их скрыва́ть?

5. Если не секрет, есть ли у вас такие черты характера, которые считаются отрицательными? Назовите их.

6. Почему так важно грамотно (правильно) составить резюме?

7. Не кажется ли вам странным замечание автора о ча́рах, которые пускают в ход женщины во время собеседования? Используют ли такой приём мужчины? Не свидетельствует ли это замечание о существовании определённой дискриминации по полово́му признаку?

8. Труднее ли женщине получить какое-либо место, имея в качестве конкурента мужчину? Как меняется (и меняется ли) отношение к женщине работодателей в последнее время? Что может помешать женщине выполнять служебные обязанности?

9. Считаете ли вы, что вопросы личного плана допустимы во время собеседования?

10. Какие человеческие качества являются самыми необходимыми для работы в коллективе?

11. Если бы вас попросили рассказать о ваших профессиональных навыках, как бы вы это сделали?

12. Легко ли уволить работника в вашей стране?

13. Почему нередко работодатели предпочитают брать служащих на временную, а не на постоянную работу?

14. Почему Роман сравнивает собеседование с допро́сом, а девушку-кадровика — с работником ФСБ? Почему простое собеседование нередко превраща́ется для некоторых кандидатов в стре́ссовую ситуацию? Если вам приходилось устраиваться на работу, вспомните, какие чувства вы испытали на собеседовании? Расскажите об этом подробнее. А если бы вы оказались на месте кадровика́, какую бы атмосферу вы стремились создать во время собеседования?

15. Какова сейчас ситуация на рынке труда в вашей стране и в России?

16. Откуда люди получают информацию о вакантных местах?

17. Всегда ли работодатели организуют собеседование или вам известны другие формы отбора кандидатов?

18. Что вам кажется более эффективным при приёме на работу: собеседование или испыта́тельный срок? А может быть, нужны обе формы?

ЗАКЛЮЧИТЕЛЬНОЕ ДОМАШНЕЕ ЗАДАНИЕ

57

Подготовьтесь к заключительному занятию:

1) повторите изученный лексический и грамматический материал;

2) прочтите дополнительные тексты, если хотите узнать больше;

3) сформулируйте вопросы, которые вы бы хотели вынести на обсуждение в заключительной дискуссии на тему «Молодой человек ищет работу».

Напоминаем вам, что наше заключительное занятие будет состоять из дискуссии (1 час) и классного сочинения (1 час): вам предстоит написать письмо работодателю, содержащее подробную мотивацию выбора какого-либо места работы, и доказать, что ваша квалификация соответствует вакансии.

ДОПОЛНИТЕЛЬНЫЙ ТЕКСТ 1

Прочитайте выдержки из статьи Елены Семёновой-Андриевской «Не плюйте в даму с бриллиантами» («Аргументы и факты», № 41, 1999 г.). Согласны ли вы с мнением её автора?

ЗАЧЕМ НУЖНЫ ДЕНЬГИ?

За 80 лет рабо́че-крестья́нского прошлого[1] мы сочинили себе немало врагов. Но главный из них — деньги — до сих пор провоцирует граждан на самый обширный спектр действий. От философствования: «Деньги не пахнут», «Нет честных миллионов, есть воры в законе[2]» — до мелкого хулиганства. Но не плюйте вслед даме в роскошных меха́х, не выцара́пывайте гво́здиком неприли́чное слово на шестисо́том «мерседесе».

Деньги — это свобода. Они нужны для того, чтобы чувствовать себя уверенно. Чтобы с официантами разговаривать, как с официантами, а не благоде́телями, а с таксистами — как с таксистами, а не «ше́фами»[3]. Чтобы можно было сказать, устало вздохнув: «Не в деньгах счастье». Конечно, не в них.

Деньги нужны для того, чтобы нам не надо было толкаться на вещево́м рынке, пытаясь примерить пла́вки на брюки, сто́я одной ногой на грязной карто́нке, а другую виновато поджав под себя.

Деньги нужны, чтобы нау́тро голова не болела от плохой водки.

Деньги нужны, чтобы дважды в день вам не приходилось быть зажа́тым в троллейбусе между потным лысым толстяко́м с портфелем и вертля́вой старушкой, у которой из аво́ськи капает подта́явшая рыба.

Деньги нужны, чтобы у забарахли́вшей[4] машины не приходилось разыгрывать Кули́бина[5], собственнору́чно пытаясь

---

[1] Рабоче-крестьянское прошлое — *иронич.* от советизма, означавшего происхождение из среды рабочих или крестьян. Здесь: время советской власти.

[2] Вор в зако́не — *жарг.* криминальный авторитет.

[3] Шеф — *ирон.* обращение к незнакомому мужчине.

[4] Забарахли́вший — *разг.* о механизме, который стал плохо работать.

[5] Кули́бин Иван — русский изобретатель, в разг. речи о человеке, хорошо умеющем всё ремонтировать.

исправить гнилой термостат. Чтобы не пачкать руки о пробитое колесо. Чтобы на бензоколонке не мучиться над неразрешимым вопросом: сколько литров заливать — 5 или 10?

Деньги нужны, чтобы вашей матери не приходилось всё лето кряхтеть[1] над картошкой, которую всё равно начисто сожрёт колорадский жук, и пропалывать тщедушную морковку. А потом до весны лечить радикулит и давление в районной поликлинике.

Деньги нужны, чтобы, когда ваша жена ночью попадёт в роддом[2], ей не говорили: «У нас тут пересменок, ждите новую бригаду».

Деньги нужны, чтобы в школе вашего ребёнка учили не начальной военной подготовке[3], а языкам, литературе, физике и тем вещам, которые ему по душе и пригодятся в жизни. Чтобы он не спрашивал, что такое ананас и где находится город Париж. Да просто чтобы баловать его сейчас, потому что неизвестно, как обойдётся с ним жизнь.

Деньги нужны, чтобы перед отпуском вы не высчитывали, куда дешевле поехать: в профилакторий «Пеньки» или на турбазу[4] «Над пропастью во мху».

Деньги нужны, чтобы, когда вам скучно, вы не посвящали себя дешёвому детективу или мыльной опере[5], от которой сводит челюсти[6], а шли в ресторан с любимой кухней. И с любимой девушкой.

Чтобы, когда Нетребко[7] будет выступать в «Ла Скала», а Сафин — на Уимблдоне, вы не читали об этом в вечерней газете, а кричали: «Браво!» — и тому и другому.

Чтобы вы не мечтали об издании «Пиковой дамы» 1837 года, которое продавалось на букинистическом аукционе, а чтобы оно стояло в вашем книжном шкафу.

Деньги, наконец, нужны, чтобы не бояться за свои деньги. За своих родных. За себя. Вообще ни за что не бояться.

Каждому деньги нужны для своего.

Билл Гейтс, один из самых богатых людей в мире, уже который год таскает один и тот же потрёпанный пиджачишко[8] и тоже счастлив. Ему деньги нужны, чтобы «ширить»[9] родной «Майкрософт». Социологи называют это «пуританским богатством». Его формы невидимы. Но оно динамично, оно работает, воспроизводит само себя.

Султану Брунея, тоже человеку небедному, деньги нужны, чтобы облицевать туалет золотыми плитками. Это — «престижное потребление». Его дворец, крупнейший в мире, — капитал статичный. Но тоже на своём месте.

---

[1] Кряхтеть (над чем?) — *простореч.* тяжело работать.

[2] Роддом — *сокр.* от *родильный дом* (больница для приёма родов).

[3] Начальная военная подготовка — учебный предмет в советской школе.

[4] Турбаза — *сокр.* от *туристическая база.*

[5] Мыльная опера — *публиц.* о длинных романтических телесериалах.

[6] Сводит челюсти (у кого? от чего?) — *разг.* о реакции человека на что-нибудь очень скучное.

[7] Анна Нетребко — всемирно известная российская оперная певица (сопрано).

[8] Пиджачишко — *разг., пренебр.* от *пиджак.*

[9] Ширить — *разг., ирон.* расширять, увеличивать.

«Если ты один раз попробуешь мясо настоящего кра́ба, — сказала Поли́на Да́шкова, автор детективов, расходя́щихся миллио́нными тиража́ми, — ты никогда не сможешь есть кра́бовые па́лочки[1]». Почувствовав вкус к той жизни, которую могут обеспечить вам деньги, вы уже никогда не будете способны вернуться на её нижние ступени. И будете думать и работать изо всех сил, чтобы держаться на этом уровне. А потом вам захочется бо́льшего. И что как не деньги будет вашей движущей силой? И кто скажет, что деньги — это не прогресс? Кто скажет, что деньги — это плохо?

ДОПОЛНИТЕЛЬНЫЙ ТЕКСТ 2

А вот короткие анекдоты, посвящённые работе.

1

В отделе кадров:
— Вы что-то выглядите недостаточно подвижно для своего возраста!
— А вам кто нужен: программист или обезьяна?

2

— Всем доброе утро. Леночка сделайте мне, пожалуйста, кофе!
— Дмитрий Алексеевич, кофе делают в Латинской Америке, а я его просто готовлю.
— Лена, умничать надо было в школе на экзаменах, тогда бы работала, а не кофе носила.

ДОПОЛНИТЕЛЬНЫЙ ТЕКСТ 3

ЗАДАНИЕ: Прочтите дискуссионный текст из Интернета, написанный мужчиной, не поставившим под ним своей подписи. Выразите своё мнение о так называемой «войне полов».

МЕТОД НЫТЬЯ И ИСТЕРИКИ

борьба за равные права

По аналогии с «методом кнута́ и пря́ника» я охарактеризовал бы борьбу феминисток за равные права как «метод нытья́ и истерики».

притеснять (кого-либо)

Эта обкатанная схема показала себя столь эффективной, что другой, судя по всему, и не надо. Этап первый — истерика: «Мы — ничуть не хуже вас! Мы не глупее, не слабее и можем делать то же, что и вы. А нас — притесняют! Мы требуем равных возможностей!» Хорошо. Вот вам равные возможности. Тут начинается вторая фаза — фаза нытья: «Ну вы же понимаете, что

_____
[1] Кра́бовые па́лочки — рыбный продукт, имитирующий вкус краба, в форме палочек.

мужчины и женщины — разные? У нас — наша Великая Материнская Функция! Мы — гораздо более хрупки и ранимы. У нас бывают гормональные бури, токсикоз и климакс, нам надо заботиться о детях!»

На вопрос: «Если все равны, то почему женщины уходят раньше на пенсию?» — мы получаем ответ: «Потому что государство мудро рассудило, что стране нужны молодые бабушки, которые могут сидеть с детьми, пока эмансипированные мамы работают».

Тогда откуда все эти стоны про «мать, вынужденную сидеть с ребёнком на больничном»? Куда делась бабушка — её проглотил Серый Волк? Так это из сказок Шарля Перро. Или все эти несчастные — поголовно сироты? Если уж на то пошло, то я вообще считаю, что беременная женщина (на любом сроке) или кормящая мать НЕ ДОЛЖНА работать.

Но и не должна сидеть на шее у работодателя (а фактически — у коллег, отдувающихся за неё). Если у мужчины по жизни есть ровно один вариант — «работай или подыхай с голоду», то у женщины вариантов явно больше.

1. Выйти замуж за любимого человека, стать домохозяйкой и получать удовольствие от возможности быть женой и матерью. Слова «эмансипация» и «феминизм» воспринимать как бранные.

2. Если желание сделать карьеру явно перевешивает по силе материнский инстинкт — просто не заводить детей вообще и работать наравне с мужчинами. Получать будете столько же, уверяю вас.

3. Любой квалифицированный сотрудник сейчас имеет зарплату, явно перекрывающую его основные нужды (питание, одежда и т. д.) минимум втрое. Достаточно отработать, скажем, 3–5 лет, чтобы накопить достаточное количество денег на весь срок беременности и выращивания ребенка до того возраста, когда его можно сдать в садик или оставить с бабушкой/няней. Этот вариант — специально для клинических мужененавистниц из телесериала «Все мужики — сво...[1]».

Но ведь хочется-то другого: влезть на ёлку и не уколоться, верно? И детей родить, и карьеру сделать. И ещё при этом не чувствовать, что кому-то что-то должна или от кого-то зависишь — ведь это так унизительно! А значит, надо убедить себя и окружающих в прямо противоположном: что это ТЕБЕ все должны. Именно этим обычно и занимается феминистская тусовка. К чему приводит такой подход — мы отлично знаем на примере СССР. Благородный принцип «от каждого — по способностям, каждому — по потребностям» очень быстро привёл к тому, что способностей у всех как-то разом поубавилось.

Почему бы борцам за равные права женщин не действовать в таком направлении: добиваться повышения заработной платы в тех профессиях, которые считаются либо «традиционно жен-

эмансипированная женщина

сидеть с ребёнком

сидеть на шее (у кого-либо)

воспринимать слова как бранные

заводить детей

[1] «Бальзаковский возраст, или Все мужики сво...» — популярный телесериал об образованных, красивых, обеспеченных женщинах, ищущих себе партнёров жизни. Сво... — *разг., сниж.* **сволочи** (подлые, нечестные люди, негодяи) и **свободные люди** (мужчины, которые не собираются жениться).

свободный график

смотреться выигрышней
(кого-либо)

обвинить в сексизме

надбавка за риск

отстаивать право

спрятаться за чью-либо
спину

укладываться/уложиться
в сроки

скими», либо как минимум в которых женщины достигают не меньших успехов, чем мужчины? Которые допускают свободный график? Я полностью согласен, что учителя (особенно младших классов), воспитательницы, няни, врачи (в первую очередь — терапевты и педиатры) получают меньше, чем заслуживают. И при этом — женщина в такой профессии часто смотрится гораздо выигрышней мужчины.

Очень ценятся женщины-кадровики. Правда, причину мало кто произнесёт вслух открытым текстом. А она такова: именно женщине значительно лучше удаётся уволить другую женщину. Мужчина-менеджер обычно просто не выдерживает, когда при нём начинают рыдать, биться в истерике, умолять и угрожать. А женщина-кадровик будет всё это выслушивать с просветлённой улыбкой Будды и произносить успокоительные ма́нтры. А ещё — женщину-кадровика несколько сложнее обвинить в сексизме и мужском шовинизме.

Вот вам ещё пример. Пару лет назад в Лондоне произошёл вопиющий случай: в неблагополучном квартале застрелили женщину-полицейского. Что тут началось! Да как же так? Да как же общество такое допустило — ведь она же мать стольких-то детей, оставшихся сиротами! О том, что каждый год в той же Великобритании гибнет энное количество полицейских-мужчин, как-то не упоминали. А ведь эти люди тоже чьи-то мужья, отцы и сыновья... Оргвыводы были весьма интересными: было предложено не направлять женщин-полицейских в опасные и неблагополучные районы.

Вот те раз[1]. Вообще-то, данная профессия подразумевает риск. И оплата включает в себя надбавку за этот самый риск. Если вы мечтаете о такой работе, чтобы ходить по улице в нелепом наряде, приставать к прохожим со всякой ерундой, но при этом совершенно не рисковать, надо идти не в полицейские, а в «Макдоналдс» — работать клоуном Рональдом. А выполнять работу этого клоуна, но получать как полицейский — согласитесь, нечестно. Вопрос: на кой чёрт сначала до хрипоты отстаивать своё «равное право» на службу в полиции и армии, чтобы потом, как только запахнет порохом, вспомнить о своей женско-материнской сверхценности и шустро спрятаться за мужскую спину? Зачем со скандалом пытаться пролезть в ту профессию, где больше платят, но к которой у тебя нет никаких способностей, а потом громко возмущаться дискриминацией?

Вот скажите: почему, например, если парень-программист постоянно не укладывается в сроки и ко́сит — то ему предложат перейти, скажем, в тестеры или поддержку[2]. Или поискать другое место, где его квалификации будет достаточно. И у него хватит самокритичности и самоуважения, чтобы согласиться с тем, что претензии к нему обоснованы. А вот барышня в аналогичной ситуации зальётся слезами, заявит, что «к ней придираются, от неё требуют невозможного, ей специально подсовывают самые

---

[1] Вот те раз — *разг.* выражение удивления по поводу нелогичности чьих-либо действий.
[2] Перейти в тестеры или поддержку — *спец.* перейти работать в отдел, где специалисты по компьютерам занимаются тестированием и установкой готовых программ.

Л.Ю. Скороходов, О.В. Хорохордина. ОКНО В РОССИЮ — 1

УРОК 3

сложные задания, которые вообще сделать нельзя». То, что после неё всё приходится срочно доделывать и переделывать другим и у них почему-то всё получается, — это, конечно, не аргумент.

просить повышения зарплаты

Почему когда сотрудник-мужчина приходит просить повышения зарплаты, то обычно начинает с того, что вот он за последние полгода добился того-то и того-то, на нём висит это и это. А женщина в аналогичной ситуации с порога заявит: «А почему вот Сидорову платят больше, чем мне?»

требовать поблажек

Мораль: хочешь «получать так же»? Значит, и работай «так же». И не требуй поблажек.

делать по собственной инициативе
подводить/подвести (кого-л.)

Почему, когда заболевает сотрудник-мужчина, можно практически быть уверенным, что если он не совсем уж при смерти, то, скорее всего, уже сидит за ноутбуком, а под боком лежит мобила. И всё, что можно сделать прямо из дома (или даже из больницы), он сделает. Без всякого принуждения, по собственной инициативе. Просто потому, что не любит подводить коллег. А от женщины в аналогичной ситуации запросто можно ожидать тирады, исполненной благородного гнева: «Я тут еле-еле ребёнка больного спать уложила, а ты звонишь, и мне заново его укачивать!»

платить пенсионные взносы

И ещё один факт: в России, по статистике, соотношение числа пенсионеров-мужчин и женщин — один к двум. При этом мужчины платят пенсионные взносы на пять лет дольше.

Так всё-таки: мы равны или не равны?

КИНО, ДА И ТОЛЬКО

| Михалков | киножвачка | режиссёр | сериал | киногерой | фильм |

РАЗГОВОР

ЗАДАНИЕ: Прослушайте аудиозапись разговора, обращая особое внимание на интонацию. После этого прочтите разговор сами.

Трудности произношения:
эстéт — произносится: [эстэ́т];
    эстéтствующий [эстэ́тствующий];
шедéвр — произносится: [шэдэ́вр].

Роман: Что-то вы поздновáто. Ох уж мне эти романти́ческие прогулки. На улице сегодня премёрзко, в такую погоду хороший хозяин собаку из дома не вы́гонит, а вы…

Филипп: А мы вóвсе и не гуляли. Мы с Анютой в кино ходили.

Роман: Знаю-знаю, на последний сеанс в последнем ряду.

Анна: А тебе зави́дно? И, между прочим, не в простой кинотеатр, а в мультиплéкс[1].

Роман: Да-а-а?! И что смотрели?

Анна: Михалкóвского «Сиби́рского цирюльника». Красивое кино. С размáхом. К тому же там Олéг Мéньшиков в главной роли.

Филипп: Мне тоже понравилось. Снято по-голливýдски. Ники́та Михалкóв, как всегда, на высотé.

Роман: Не люблю я этого усатого самодовóльного ти́па. У него папа ги́мны сочиня́л, стишки Стáлину ко дню рождения подносил, а сынýля Ники́та теперь вдруг русским аристократом оказался, в духовные лидеры нации мéтит.

Людмила Михайловна: Прошу к столу, мы вас заждали́сь. Ужин, правда, сегодня скромный. Чем богáты, тем и рады. А ты, Рома, извини меня, рассуждаешь, словно сварли́вый дед. Хороший ли человек, плохой ли — не нам судить. Михалков — живой клáссик, и фильмы его — тому подтверждение.

---

[1] Мультиплéкс — *неол.*, кинотеатр с несколькими залами.

Роман: Скажешь тоже, «классик»! Любого режиссёра можно сделать «классиком», если по два раза в год крутить[1] по телику[2] ретроспективы его фильмов. Вся эта ваша так называемая классика — ску-ко-та.

Анна: Да что ты понимаешь в кино? Тоже мне нашёлся киновед! Ты уже давно ничего не смотришь, кроме своих дурацких боевиков. Михалков умеет работать с актёрами, как никто другой. Потому лучшие актёры и почитают за счастье сниматься у него. Для меня он просто гений.

Филипп: Точно-точно, Анна. Он и во всём мире известен. И потом, не мне вам напоминать: Михалков — лауреат «Оскара», самой престижной кинопремии. А это что-нибудь да значит.

Роман: Ох уж мне эти премии, эти оскароносцы. Ну сам посуди: какое мне дело в России до того, что думают какие-то американские киноакадемики о русском кино? Давно известно, что жюри даёт премии всем по очереди. Премий этих — пруд пруди: и тебе Каннский фестиваль, и Берлинский, а не хочешь — Венецианский. А уж в России их — и не сосчитать: теперь каждый провинциальный городишко обзавёлся своим киноконкурсом.

Тимур Искандерович: Что правда то правда: конкурсов теперь видимо-невидимо и фильмов снимают много. А вот посмотреть-то и нечего.

Роман: Для кого как, а для меня всегда что-нибудь подходящее в телике найдётся. Там фильмов — море, и на любой вкус.

Людмила Михайловна: Главное не количество, а качество. Вон боевики, детективы и сериалы сотнями выпускают, но разве это можно считать настоящим кино? Лучше меньше, да лучше.

Анна: Точно-точно, па[3]. Один боевик посмотришь — как будто все видел. Одно и то же: какой-нибудь дурак носится с пистолетом и спасает белозубую красавицу от небритых злодеев. Примитив для недоумков. Киножвачка, другого слова не подберу.

---

[1] Крутить (о фильме, передаче) — *разг.* показывать.
[2] Телик — *разг.* телевизор.
[3] Па — *разг.* обращение к отцу.

Роман: Давно ли ты в интеллектуа́лки записалась? Что ты можешь понимать в этих «глубоких» творениях какого-нибудь вашего Соку́рова или других так называемых «эсте́тов»?

Тимур Искандерович: Позволь не согласиться с тобой. Эти фильмы заставляют задумываться, а человек только тогда человек, когда он мы́слит.

Роман: Ну а ты, Филипп, что скажешь? Как у вас в Европе считают, какое кино полезнее: развлекательное или интеллектуальное?

Филипп: Что за вопрос? Должно быть всякое кино: и то и другое. В демократическом обществе выбирает зритель, и его вкусы — главное, их не навя́зывают.

Тимур Искандерович: Вкусы навязывать, разумеется, нельзя, но воспитывать — можно и даже нужно. В интеллектуальном кино не всякий, конечно, всё сразу поймёт. Для этого, друзья мои, широкий культурный кругозо́р необходим. Но такие сложные — и по содержанию, и по форме — фильмы интересно пересматривать и второй, и третий раз. А безыдейное кино оглупляет.

Людмила Михайловна: И вообще, зачем государству тратить деньги налогоплате́льщиков на дешёвую кинопродукцию, на фильмы-однодне́вки?

Роман: Замечу, что как раз прока́т зау́много кино денег и не приносит. А то, что вы презрительно называете «черну́хой», не только себя окупа́ет, но и кормит всех этих эсте́тствующих киноге́ниев, на фильмы которых и зал-то полный не соберёшь.

Людмила Михайловна: А я уж и не вспомню, когда в кино выбиралась. Всё дела. С работы придёшь — с ног валишься. Тут уж не до кино, хоть до дивана бы доползти.

Роман: Ну-у, кто про что, а мамуля всё про свою усталость. Зато ты, мам, теперь спец по телесериалам. В них всё как в жизни: ни декораций, ни костюмов, ни спецэффектов.

Анна: А если пропустишь какую-нибудь серию, не смертельно: подруги на работе расскажут, кто кого полюбил, кто кому изменил.

Людмила Михайловна: Ох каких остряков мы с тобой, отец, воспитали! Ну да, в моих «мыльных операх» — настоящие русские женщины со своими проблемами, а не всякие там хоббиты, летящие на планету Марс с лазерной пушкой в руках. Когда я смотрю свои сериалы, я забываю и про шефа в вечно дурном настроении, и про то, что за вас за всех, за все ваши нужды и в этом месяце платить мне одной. И вообще… Посмотришь, как другим несладко живётся — и тебе вроде бы легче становится.

Филипп: Получается, Людмила Михайловна, что сериалы вам силы дают для реальной жизни?

Людмила Михайловна: Верно, Филипп, один ты меня понимаешь! А детки мои всё над моими сериалами насмехаются. А вот не отдыхай я вместе с героинями сериалов душой, я бы давно уж сошла с ума от всех «радостей» своей жизни, и кто бы вас тогда кормил вместо меня — Рената Литвинова, что ли?!

Анна: Мама, давай без этих сцен, как в твоих сериалах. Не дом, а театр какой-то. Ты же знаешь, мы тебя любим, ценим и мы понимаем, что на таких, как ты, Россия-матушка испокон веков держится. Как сказал классик, «есть женщины в русских селеньях».

Тимур Искандерович: Дети! Хватит иронизировать над мамой. Того и гляди не на шутку её рассердите. Доживёте до наших с мамой лет, посмотрим тогда, что за кино вас привлекать будет. А пока давайте чай пить. Анюта, помоги маме чай разлить.

КАК ЭТО ПРОЗВУЧАЛО В РАЗГОВОРЕ?

ЗАДАНИЕ: К каждому из фрагментов левой колонки подберите эквивалент из правой. Попросите преподавателя указать стилистически окрашенные выражения.

①

Почему-то вы пришли довольно поздно.	1		а	На улице сегодня премёрзко, в такую погоду хороший хозяин собаку из дома не выгонит.
Мне не нравятся ваши романтические прогулки.	2		б	А мы вовсе и не гуляли.
Погода сегодня ужасная.	3		в	Что-то вы поздновато.
А мы совсем и не гуляли.	4		г	михалковский «Сибирский цирюльник»
кинотеатр с несколькими залами	5		д	Ох уж мне эти романтические прогулки.
«Сибирский цирюльник» Михалкова	6		е	мультиплекс

②

Фильм зрелищный, с дорогими костюмами, сложными трюками, панорамами и т. п.	1		а	Стихи Сталину ко дню рождения подносил.
Главную роль играет Олег Меньшиков.	2		б	Красивое кино. С размахом.
Писал стихи, славящие Сталина.	3		в	Прошу к столу.
Его цель — стать духовным лидером нации.	4		г	Олег Меньшиков в главной роли.
Приглашаю начать есть.	5		д	В духовные лидеры нации метит.

③

Мы очень долго вас ждали.	1		а	Чем богаты, тем и рады.
К сожалению, у нас угощение очень скромное.	2		б	Фильмы его — тому подтверждение.
Мы не имеем права давать оценки.	3		в	Скажешь тоже.
Уровень его фильмов очевиден.	4		г	Мы вас заждались.
Ты не прав.	5		д	Не нам судить.

④

показывать по телевизору	1		а	Тоже мне нашёлся киновéд.
очень скучно	2		б	крутить по тéлику
Ты не имеешь права говорить как специалист по кино.	3		в	Почитают за счастье сниматься у него.
Фильмы его доказывают это.	4		г	Для меня он просто гений.
Я считаю его настоящим гением.	5		д	ску-ко-тá
Мечтают сниматься в его фильмах.	6		е	Фильмы его — тому подтверждение.

⑤

лауреат премии «Оскар»	1		а	пруд прудú
очень много	2		б	И тебе Каннский фестиваль, и Берлинский, а не хочешь — Венецианский.
Можно выбрать Каннский фестиваль или Берлинский, или же Венецианский.	3		в	оскаронóсец
Это не для всех одинáково.	4		г	Для кого как.

⑥

глупéц	1		а	Другого слова не подберу.
кинопродýкция низкого качества	2		б	Давно ли ты в интеллектуáлки записалась?
Не могу найти другого слова.	3		в	и не сосчитáть
Давно ли ты стала считать себя интеллектуáлкой?	4		г	позволь
разреши	5		д	киножвáчка
огромное количество	6		е	недоýмок

⑦

Принимать чужие вкусы не заставляют.	1		а	Оглупля́ет.
большие познания в области культуры	2		б	Вкусы не навязывают.
Делает глупым.	3		в	чернýха
непоня́тный обычному человеку, слишком сложный	4		г	заýмный
произведение искусства с негатúвным содержанием	5		д	широкий культурный кругозóр
компенсúровать затрáты	6		е	эстéтствующий
ведущий себя как эстет	7		ж	окупáть

ПРОВЕРИМ, КАК ВЫ ПОНЯЛИ РАЗГОВОР.

ЗАДАНИЕ: Ответьте на вопросы.

1. Опишите ситуацию, в которой происходит разговор. Все ли его участники были на месте к началу разговора?

2. Где были сегодня вечером Филипп и Анна и что они там делали?

3. Почему Роман иронизирует насчёт «последнего сеанса» и «последнего ряда»?

4. О каком фильме идёт речь? Что мы узнаём о нём из разговора?

5. Совпадают ли оценки собеседников в отношении фильма? А его режиссёра?

6. Какое кино предпочитает Роман? Что думают о таком кино остальные?

7. Какое значение придаёт Филипп награждению фильма какой-либо премией? О чём свидетельствует обладание премией, по его мнению? Какова точка зрения Романа на этот вопрос?

8. Что думают о развлека́тельном и интеллектуа́льном кино участники разговора? Их точка зрения еди́на? Как они аргументи́руют свои позиции?

9. Имена каких кинодея́телей (режиссёров и актёров) упоминаются в разговоре?

10. Что мы узнаём об отношении участников разговора к сериалам?

11. Чем заканчивается этот вечер?

ЗАДАНИЕ: Вставьте слова из скобок в предложения. Если необходимо, измените их форму и добавьте предлоги.

1. Я купил два билета (мультиплекс) (у́тренний сеанс) (последний ряд).

2. (Главная роль) снималась известная актри́са.

3. Ты что-то к президенту фирмы часто в кабинет заха́живать стал. Тоже (начальники), что ли, ме́тишь?

4. Прошу (стол), мы (вы) заждали́сь.

5. Александр Сокуров — живой классик российского кинематографа. Его фильмы — (то) подтверждение.

6. Почему сегодня целый день кру́тят (те́лик) один и тот же клип?

7. Какое (он) дело (то), о чём мы говорим?

8. Нельзя навя́зывать (свои вкусы) (никто).

9. (Философские трактаты) не каждый может сразу всё понять.

10. Должно ли государство тратить деньги (искусство)?

СЛОВООБРАЗОВАНИЕ

ЭСТЕТСТВУЮЩИЙ

Помните, как Роман в споре пренебрежительно называет режиссёров интеллектуального кино «эстетствующими киногениями»? Причастие *эстетствующий* означает: ведущий себя как *эстет* — именно от этого существительного образован глагол и причастие.

ЗАДАНИЕ: Постройте словообразовательную цепочку: существительное → глагол → причастие от существительных *эстет, философ, вдова, учитель, мудрец, фашист, зверь, меценат, нищенка*; **выделите суффикс, при помощи которого образуется глагол.**

существительное →	глагол →	причастие
....	....	....

А теперь попытайтесь заменить выделенные части фраз синонимичными, используя глагольные формы, созданные по аналогичной словообразовательной модели.

1. Юбилейный вечер прошёл довольно приятно: все были остроу́мны и веселы, никто не пытался **произносить речи как философ**.

2. Да, у соседки жизнь ой как не проста: зарплата ми́зерная, детей — трое, а помощи ждать не́откуда, ведь муж-то её погиб в аварии и она уже третий год **живёт как вдова́**.
(При образовании глагола от существительного с окончанием -*а* это окончание выпадает.)

3. После университета многие из моих однокурсников не нашли в Пи́тере работы по специальности и должны были **вести жизнь учителе́й в сёлах**.

4. Не люблю я этих претенцио́зных, зау́мных кинокритиков, **изображающих из себя мудрецо́в**.
(При образовании глагола от существительного с суффиксом -*ец* этот суффикс выпадает.)

5. От шефа его новая жена ушла — так он теперь на сотрудниках зло срыва́ет[1]: на Та́ню накричал, Па́шу уволил, с Ива́ном Васи́льевичем чуть не подрался. К нему лучше сейчас не подходить: **ведёт себя как фашист**.

6. У нас есть один преп в универе: на занятиях — ду́шка[2], нормальный, добрый мужик, а вот на экзаменах **ведёт себя как зверь**: мало кому из студентов удаётся уйти с экзамена с хорошей оценкой.
(При образовании глагола от существительного *зверь* мягкий знак выпадает.)

7. — Ле́ночка не знает, куда деньги деть. Вообрази себе: недавно она спонси́ровала[3] реставрацию старинной иконы для Ру́сского музея.
   — Да, теперь она **стала известной мецена́ткой**.
(При образовании глагола от существительного *мецена́тка* суффикс -*к*- и окончание -*а* выпадают.)

8. — Как ты думаешь, кого я видела сегодня на Не́вском?
   — Ну и кого же?
   — Соседку нашу бывшую, Викто́рию Петро́вну, помнишь? Я давно ничего о ней не слышала. И вот представь: бредёт по улице вся в каких-то лохмо́тьях и у прохожих ми́лостыню просит.
   — Какой ужас! Получается, что она **живёт как ни́щенка**.
(При образовании глагола от существительного *ни́щенка* суффикс -*к*- и окончание -*а* выпадают.)

---

[1] Срыва́ть зло (на ком?) — о раздражённом человеке, который компенсирует свои отрицательные эмоции плохим отношением к окружающим.

[2] Ду́шка — *разг.* о хорошем, обаятельном человеке.

[3] Спонси́ровать — *неол., эконом. термин* давать деньги на что-либо, финансировать.

Аналогично образуются и глагольные формы от существительных *директор, самодур, председатель.* **Образуйте эти глаголы и составьте с ними предложения. Подумайте, какие из получившихся у вас глаголов несут осуждающе-пренебрежительный оттенок (а), а какие являются нейтральными (б)?**

КИНО-

6

ЗАДАНИЕ: Прочитайте текст, вставьте в него слова с префиксоидом *кино-.*

-картина, -фильм, -лента, -шедевр, -театр, -зал, -экран, -режиссёр, -актёр, -актриса, -оператор, -сценарист, -сценарий, -мастер, -критик, -вед, -зрители, -жвачка, -проба, -премьера, -премия, -фестиваль, -форум, -студия, -сенсация, -бизнес, -продукция, -искусство, -журнал

Кино...(1) «Сибúрский цирюльник» снималась на *кино*...(2) «ТриТэ», которой руководит известный кино...(3) Никúта Михалкóв. Многие *кино*...(4) студии «ТриТэ» отличаются высоким качеством и вызывают живой интерес у зрителя.

К созданию этой *кино*...(5) Михалкóв привлёк известного сценариста Ибрагимбéкова, который написал *кино*...(6) и диалоги. В качестве *кино*...(7) он пригласил Пáвла Лéбешева, который отвечал за операторскую работу и при создании нескольких других *кино*...(8) Михалкóва. Многие *кино*...(9) мечтали сниматься у Михалкóва, но после успéшного прохождéния *кино*...(10) на главную роль был выбран известный *кино*...(11) Мéньшиков. Главная женская роль была порýчена *кино*...(12) Джулии Ормонд.

Фильм стал российской *кино*...(13) 1999 года. *Кино*...(14) не могли вместить всех *кино*...(15). В одном из самых старых *кино*...(16) столицы, «Худóжественном», состоялась *кино*...(17) этого фильма. Перед каждым сеансом демонстрировали *кино*...(18) о творческом пути Никиты Михалкова.

После премьеры известные *кино*...(19) сделали в прессе подрóбный разбóр «Сибúрского цирюльника». *Кино*...(20) по-разному отнеслись к картине известного *кино*...(21): одни её очень ругали, другие превозносúли до небес, но никто из них не отнёс этот фильм к так называемой *кино*...(22), которую теперь часто крутят на *кино*...(23) России.

Никúта Михалкóв представил свой фильм на нескольких *кино*...(24). Одним из самых престижных мировых *кино*...(25) является проходящий в США конкурс Американской академии *кино*...(26) «Óскар». Предыдущий фильм Михалкóва «Утомлённые солнцем» в 1996 году получил кино...(27) «Óскар». Автор надеялся, что и фильм «Сибирский цирюльник» будет пользоваться успехом у зрителей не только в России, но и за её пределами и будет отмéчен профессионалами западного *кино*...(28).

ЛЕКСИКА

ЗАДАНИЕ: Вставьте в текст подходящие глаголы в нужной форме. Укажите случаи, когда могут быть использованы несколько глаголов.

сообщать/сообщить, рассказывать/рассказать, разговаривать, описывать/описать, беседовать, объяснять/объяснить, говорить/сказать, болтать, расспрашивать/расспросить, задавать/задать (вопросы)

Ва́сенька вбежал в комнату к дедушке, поздоровался, поцеловав его в шерша́вую щёку, и ...(1): «Дедушка-дедушка, а ...(2) про корабли».

Арсе́ний Степа́нович всю жизнь прослужил на флоте и любил согрева́ть свою старость воспомина́ниями о молодых года́х. Как всегда, в это послеобе́денное вре́мя они долго ...(3) друг с другом о море, корабля́х, матро́сах и дальних похо́дах. Особенно внук интересовался устройством па́русных кораблей, ...(4) де́да о различных видах па́русников, ...(5) много вопросов о том, что должен делать командир корабля́. Дедушка ...(6) внуку разные морские фла́ги. В этот раз он ... (7) Ва́сеньке разницу между эсми́нцем и кре́йсером и даже нарисовал их плохо слу́шавшейся его рукой на листке в кле́тку, вы́рванном из школьной тетра́дки. Они долго ...(8) о трудном морском деле.

Наговори́вшись о море и корабля́х, они начали ...(9) о том, что происходит в деревне. Внук ...(10) ему о прие́зде из города ребят, с которыми он познакомился ещё в прошлом году, о том, что в кино вчера крути́ли фильм про войну, что в магазин привезли велосипеды и про всё остальное, что казалось ему важным.

Дедушке нравилось ...(11) с внуком: после смерти жены он вдруг почувствовал себя одино́ким и никому не нужным стариком и всякий собеседник был ему в радость.

ДАВАЙТЕ ПОВТОРИМ ТО, ЧТО ВЫ УЖЕ, КОНЕЧНО, ЗНАЕТЕ.

ЗАДАНИЕ: Вставьте в предложения подходящие глаголы в нужной форме.

1. После кинопро́бы жена долго ... истери́чного актёра, но он ... , только узнав о том, что его взяли на главную роль.	успока́ивать/успоко́ить — успока́иваться/успоко́иться
2. Незадолго до смерти режиссёр успел ... свой последний фильм, в котором удалось ... молодой актрисе. Этот фильм прославил её и дал дорогу в будущее.	снимать/снять — сниматься/сняться
3. Режиссёр ... актёра за плохо вы́ученную роль, а вечером уста́лый актёр ... со своей женой из-за того, что она мешает ему отдыхать перед съёмками.	ругать/отругать — ругаться/поругаться
4. Российская публика ... Михалко́ва классиком современного кино, но на Западе ... , что его фильмы слишком сложны́ и непонятны массовому зрителю.	считать — считаться

5. К какой социальной группе можно ... Всеволода Константи́новича, героя фильма «Утомлённые солнцем»? Как он ... к новым порядкам советской эпохи?	относи́ть/отнести́ — относи́ться/отнести́сь
6. Экзальти́рованная покло́нница случайно ... Ники́ту Михалко́ва в фойе́ театра, познакомилась с ним, дала свой телефон, просила позвонить и потом долго надеялась ... с ним ещё раз.	встреча́ть/встре́тить — встреча́ться/встре́титься
7. Когда покойник вдруг ... руками, во́лосы у стоявших рядом родственников медленно	шевели́ть/зашевели́ть — шевели́ться/зашевели́ться
8. Библиофи́л подробно ... , как выглядит эта книжная ре́дкость, в которой ... путешествие по Европе русского дворянина в конце XVIII столетия.	описа́ть/опи́сывать — описа́ться/опи́сываться
9. Этот фильм ... о событиях шестидесятиле́тней да́вности. В нём ... о нескольких эпизодах почти забы́той войны между СССР и Кита́ем в 1936 году.	расска́зывать/рассказа́ть — расска́зываться

ЗАДАНИЕ: Выберите подходящее по смыслу слово из числа предложенных. Укажите варианты, когда они возможны.

1. В ... фильме «Се́верное сия́ние»[1], сня́том исследователями петербургского Института народов Се́вера для научных целей, рассказывается о по́длинной жизни простой чуко́тской семьи, быте чу́кчей, их обычаях.	(а) худо́жественном (б) документа́льном
2. Созданные в тридцатые годы ... фильмы Уо́лта Дисне́я и поны́не продолжают вызывать смех у публики всех возрасто́в.	(а) игровы́е (б) мультипликацио́нные (анимацио́нные)
3. Тридцатимину́тный анимацио́нный фильм А. Петро́ва — это ... ле́нта по повести Эрне́ста Хемингуэ́я «Старик и море».	(а) короткометра́жная (б) полнометра́жная
4. Очередна́я серия ... фильма о Ше́рлоке Хо́лмсе будет показана по первому каналу на следующей неделе.	(а) приключе́нческого (б) исторического (в) детекти́вного
5. Чулпан Хаматова — ... актриса российского кино, она настоящая кинозвезда́.	(а) малоизве́стная (б) знаменитая (в) популярная (г) начинающая
6. В число ... фестиваля был включён фильм «Сибирский цирюльник». Кинозрителям понравился фильм, и они с волнением ожидали результатов голосования, но награды эта лента всё же не получила.	(а) номина́нтов (б) призёров (в) победителей

[1] Се́верное сия́ние — атмосферное явление в полярных широтах, разноцветное свечение неба.

7. Члены ... фестиваля единогласно присудили первую премию иранскому фильму.	(а) зрителей (б) организационного комитета (в) бюро́ (г) жюри́ (д) съёмочной группы
8. Михалко́в написал ... фильма «Утомлённые солнцем» вместе со сценаристом Ибрагим-бе́ковым.	(а) сценарий (б) текст
9. Михалко́в, вокруг персонажа которого организовано всё действие, стал одним из ... своего фильма «Утомлённые солнцем».	(а) главных героев (б) персонажей второго пла́на (в) эпизоди́ческих персонажей
10. Жера́р Депардьё — ... звезда французского кино.	(а) я́ркая (б) неуда́вшаяся (в) закати́вшаяся

10 **ЗАДАНИЕ: Вставьте глаголы в текст, следите за их формой.**

Свой фильм «Сибирский цирюльник» Михалков ...(1) в России. Для участия в этом фильме Михалков ...(2) известного актёра Меньшикова, который уже ...(3) в его фильме «Утомлённые солнцем». «Сибирский цирюльник» ...(4) его создателям большой успех. Когда фильм ...(5) на экраны, вся страна только о нём и говорила. Одни критики ...(6) фильм, а другие ...(7) его. Актёры, сыгравшие в нём главные роли, ...(8) огромной популярностью у публики.

ругать
сниматься
снимать
пользоваться
выйти
пригласить
хвалить
принести

ФРАЗЕОЛОГИЯ

11 **ЗАДАНИЕ: Поддержите разговор, используя один из предложенных фразеологизмов.**

а) В такую погоду хороший хозяин собаку из дома не выгонит;
б) Чем богаты, тем и рады;
в) пруд пруди́;
г) Лучше меньше, да лучше;
д) дожить до седых волос;
е) (Кто?) ме́тит в актрисы

1. — Что это твоя Ле́нка всё принаряжа́ется, перед зеркалом ве́ртится и кого-то там из себя изображает?
— И не говори! Беда[1] с девчонкой просто: театром бре́дит[2], ...

---
[1] Беда́ (с кем, с чем) — *разг.* проблема с кем-нибудь, с чем-нибудь.
[2] Бре́дить (кем, чем) — *разг.* чрезмерно увлекаться.

2. — Мам, купи мне, пожалуйста, этот констру́ктор «Ле́го».
   — Нет, сыну́ля[1], хватит. У тебя их и так ...

3. — Во время шторма мне ужасно хотелось выйти на набережную, чтобы почувствовать неистовую мощь стихии.
   — Что за чудачества: гулять по набережной, когда бушует морской шторм! Да...

4. — Прошу к столу́!
   — А что у нас сегодня на обед?
   — Ничего осо́бенного. Сегодня без разносолов. Как говорится, ...

5. — Этот режиссёр больше одного фильма в десять лет не снимает.
   — Зато его фильмов все ждут с нетерпением, потому что они качественные, и вообще, ...

6. — Генриетте Адамовне шестьдесят пять, помнится, отмечали пару лет назад. А она объявила, что влюблена и выходит замуж.
   — Этот муж у неё будет четвёртым. Она неисправимый романтик: ... , а всё верит в любовь.

12 ЗАДАНИЕ: Придумайте короткие истории, для которых подходили бы фразеологизмы из предыдущего задания.

ГРАММАТИКА

ДЛЯ КОГО КАК, А ДЛЯ МЕНЯ ВСЕГДА ЧТО-НИБУДЬ ПОДХОДЯЩЕЕ В ТЕЛИКЕ НАЙДЁТСЯ

13 ЗАДАНИЕ: Прочитайте следующие фрагменты из разговора и отметьте конструкции, при помощи которых сообщается, что какие-то люди совершают несходные действия или что у разных людей разное положение дел.

1

Тимур Искандерович: Фильмов снимают много. А вот посмотреть-то и не́чего.
Роман: Для кого как, а для меня всегда что-нибудь подходящее в телике найдётся.

2

Людмила Михайловна: С работы придёшь — с ног валишься
Роман: Ну-у, кто про что, а мамуля всё про свою усталость.

---

[1] Сыну́ля — *разг., уменьшит.-ласк.* от *сын*.

Соедините фразы из левой и правой колонок, чтобы получились аналогичные мини-диалоги.

Это правда, что всем русским без исключения нравятся фильмы Альмодовара?	1		а	Кто куда, на вечер у каждого свои планы.
О, ребята! Куда идёте?	2		б	Ну, это для кого как. У меня вот, например, она восторга не вызывает.
Должно быть, у всех твоих однока́шников[1] уже есть семьи?	3		в	Да нет, почему же? Кому как, но, действительно, их многие обожают.
Для меня нет лучше актрисы, чем Мэрил Стрип.	4		г	Кому что, так, мелочи всякие.
Какие оценки на зачёте ты выставила своим студентам?	5		д	У кого как, но в основном у многих уже взрослые дети.
Что же ты купила к празднику родственникам?	6		е	Кому какие, не у всех же знания одинаковы.

ЗАДАНИЕ: Редко в жизни всё у всех бывает одинаково. Сообщите об этом в ответ на следующие реплики собеседника. Используйте конструкции, аналогичные рассмотренным в предыдущем задании.

1. — Ну, Нину́ля, чем твои домоча́дцы занимались в эти выходные?
   — ...

2. — Смотри! Люди просто заполони́ли всю улицу. И откуда это они возвращаются так поздно?
   — ...

3. — Какие фильмы смотрят твои дома́шние[2]?
   — ...

4. — Когда обычно у студентов заканчиваются занятия?
   — ...

5. — Извините, я прослушала задание. Что именно нужно подготовить к семинару?
   — ...

---

[1] Однока́шник (чей? или кого?) — *разг.* человек, с которым кто-то вместе учился.
[2] Дома́шние — *разг.* члены семьи.

ТОГО И ГЛЯДИ МАМУ РАССЕРДИТЕ.

Помните, как аргументирует Тимур Искандерович своё желание остановить подшучивание детей над матерью?

- «*Того и гляди не на шутку её рассердите*», — опасается он.

🗝 15

ЗАДАНИЕ: Проанализируйте данную конструкцию с точки зрения грамматики. Обратите внимание на вид и время глагола. Закончите следующие реплики, выражая своё опасение.

1. Поскорее на стол собирайте. Уже без четверти три, а гостей ровно к трём позвали. Того и гляди (приезжать/приехать).

2. Бежим! Слышал, какой раскáт грóма был? А мы без зонтá. Вот-вот лúвень хлы́нет. Того и гляди (мокнуть/промокнуть) до нúтки[1]!

3. — Моя Вероника такая чувствительная. Если что у героев сериала не ладится, так расстраивается — того и гляди (плакать/заплакать).
   — Может, ей нервишки подлечить? У меня есть знакомый психотерапевт.

4. Какой ветри́ще[2] на улице! Того и гляди цветы с кустов (срывать/сорвать).

5. Ну что ты так волнуешься? Экзамен как экзамен. Того и гляди всё, что выучила, (забывать/забыть).

6. Следи за ребёнком! Он всё время к плите лéзет. Того и гляди кастрю́лю на себя (опрокидывать/опрокинуть), а то и пальцы (обжигать/обжечь).

7. Сколько раз тебе говорить, не ставь ноутбук на край стола. Кто-нибудь может задеть ненарóком. Того и гляди дорогая вещь на полу (оказываться/оказаться).

НЕ ВСЯКИЙ ПОЙМЁТ. ЗАЛ НЕ СОБЕРЁШЬ.

Идею *невозможности* можно выразить таким образом:

- *Киножвáчка, другого слова не подберу.*
- *В интеллектуальном кино не всякий, конечно, всё сразу поймёт.*
- *На фильмы эстéтствующих киногéниев и зал-то полный не соберёшь.*

🗝 16

ЗАДАНИЕ: Определите грамматическую форму выделенных глаголов. Обратите внимание, что в последнем примере форма 2-го лица единственного числа соотносится с идеей обобщённого субъекта действия.
Вспомните другие средства для передачи идеи невозможности и трансформируйте данные фразы в синонимичные.

---

[1] Промóкнуть до нúтки — *разг.* полностью промокнуть.
[2] Ветри́ще — *разг., увеличительное* от *ветер*.

17

ЗАДАНИЕ: Отвечая на вопросы собеседника, сообщите о *невозможности* **какого-либо действия. Используйте конструкции из предыдущего задания, употребляя в них глаголы из скобок.**

1. Кто твои любимые киноактёры? (перечислять/перечислить)

2. В каких лондонских театрах ты успел побывать? (помнить/вспомнить)

3. В Сиднее можно купить что-нибудь из последних русских фильмов на DVD[1]? (находить/найти)

4. Легко ли достать билеты на премьерный показ фильма — лауреата «Оскара»? (покупать/купить)

5. Не могу смотреть фильмы с субтитрами: не фильм смотришь, а титры читаешь. Я привыкла, что иностранные фильмы дублируют. А тебе удаётся следить за игрой актёров? (понимать/понять)

6. Что-то маловато хороших фильмов в последнее время у нас делают. Денег, что ли, не хватает? (снимать/снять)

7. Отец! Ты не забыл, завтра Витенька приглашён на кинопробы? Как думаешь, какую рубашку ему погладить? (угождать/угодить)

НЕ ДОМ, А ТЕАТР КАКОЙ-ТО!

— раздражается Анна.
Эта фраза, как вы помните, означает: *Дом похож не на дом, как это должно быть, а напоминает театр.*

18

ЗАДАНИЕ: При помощи каких средств выражается идея *схожести/несхожести*? **Используя аналогичные конструкции, замените следующие высказывания синонимичными.**

1. Боже! Кругом прилавки, игровые автоматы, столики с выпивающими людьми. Этот **кинотеатр, скорее, походит на ночной клуб.**

2. Почему газеты и книги на полу, чайные чашки — на книжной полке, пепельница — на клавиатуре компьютера? **И это рабочая комната? Это больше свинарник напоминает!**

3. Что происходит в классе? Кто поёт, кто танцует. Вы что, звонка на урок не слышали? **Этот класс сейчас выглядит как филиал Вагановки.**

4. В «Сибирском цирюльнике» все стереотипы, бытующие в сознании иностранцев в отношении России, воплощены в великолепные картинки. **Этот фильм как открытка для интуристов[2].**

5. Второй раз перечитываю статью этого лингвиста, ничего не понимаю. **Статья эта — бред.**

6. И это день рождения? Разве то, что произносят гости, можно назвать тостами? Это просто торжественные речи. А лица-то какие у всех скучные! **Это похоже не на праздник, а на заседание суда.**

---

[1] DVD — произносится: [дивиди].

[2] Интурист — *сокр.* от *иностранный турист* (по названию единственной фирмы, обслуживавшей в СССР иностранных туристов).

7. Как хорошо на пляже! Солнечно, немноголюдно, белый песок, море — лазурное море — тихо плещется у ног. **Это больше чем пляж: это напоминает рай небесный[1].**

8. Кто это так раскрасил лица наших деток[2]! **Они напоминают чертей лесных.**

РЕЧЕВАЯ ПРАКТИКА

ОХ УЖ МНЕ ЭТИ РОМАНТИЧЕСКИЕ ПРОГУЛКИ!

Помните, как Роман выражает неодобрение:

• *Что-то вы поздновато.* *Ох уж мне эти романтические прогулки!*

ЗАДАНИЕ: А как бы вы выразили *неодобрение* **своему собеседнику в таких ситуациях?**

1. — На пасхальные каникулы я ездила в Лапландию. Какие там чудесные лыжные трассы! Правда, немножко не повезло: упала и растянула ногу. Но это не испортило общего впечатления!
— Ох уж мне...

2. — Мне рассказали, что в России многие выступают за уничтожение городской скульптуры советских времён. Почему россияне отрекаются от своей истории? Опять, что ли, переписывание истории начинается?
— Ох уж мне...

3. — Кинокритики постоянно подчёркивают, что фильмы Киры Муратовой понять может только так называемая «интеллектуальная элита». А по мне, нечего заранее зрителя отпугивать и навязывать свою точку зрения. Каждый сам в состоянии решить, что ему доступно, а что — не очень.
— Ох уж мне...

4. — Слушай, мам, посоветуй, что от головы[3] принять. Знаешь, вчера Ваньке 25 стукнуло[4], и мы решили за его четвертьвековой юбилей чуть-чуть выпить. Хотели чуть-чуть, а получилось — сама понимаешь. Теперь башка раскалывается[5].
— Ох уж мне...

---

[1] Небесный рай — обычно: рай небесный — из христианской терминологии, *поэтич.* о красивом месте, где чувствуешь себя счастливым.
[2] Детки — *разг., уменьшит.-ласкательное* дети.
[3] От головы (принять) (что?) — *разг.* принять лекарство от головной боли.
[4] Стукнуло — *разг.* исполнилось.
[5] Башка раскалывается — *разг., груб.* очень сильно болит голова.

И ТЕБЕ КАННСКИЙ ФЕСТИВАЛЬ, И БЕРЛИНСКИЙ, А НЕ ХОЧЕШЬ — ВЕНЕЦИАНСКИЙ

— так Роман говорит о многочисленности кинофестивалей.

20

ЗАДАНИЕ: Используйте данную модель, чтобы дать совет, описав *круг возможностей* **в следующих ситуациях.**

1. Ваш приятель впервые оказался в Питере и хотел бы посетить всеми́рно известные музе́и. С чего начать?

2. Ваш племя́нник не может решить, какие подарки купить для своих друзей из Бразилии.

3. Студентам-первокурсникам дали задание прочитать что-нибудь из русской классики. Но в библиотеке столько книг!

4. Кинорежиссёр никак не может решить, кого именно из звёздных актёров пригласить на главную роль в лирической комедии. Ваше мнение может оказаться очень ценным...

5. Ваша подруга жутко[1] устала от учёбы, и ей хотелось бы сменить обстановку на время каникул. Но куда же ей поехать? Вот вопрос!

6. У Шамсутди́новых переполо́х. Филипп намерен прийти к ним с французским ко́нсулом. Чем угостить такого высокого гостя?

7. Вечер свободен — не сидеть же дома. Пойти бы в кино. Но какого жанра фильм выбрать: коме́дию, боеви́к, три́ллер, мелодраму? Что в большей степени соответствует настроению человека, у которого случайно выдался свободный вечер среди напряжённой трудовой недели?

21

Если люди говорят о такой непростой вещи, как кино, их мнения, разумеется, не могут полностью совпадать. Нередко они возражают друг другу и делают это каждый по-своему: кто-то вежливо и сдержанно, а кто-то более эмоционально.

ЗАДАНИЕ: Перечитайте следующие фрагменты разговора, отметьте формы выражения *несогласия* **и охарактеризуйте их с точки зрения эмоциональной окрашенности.**

1. — Ох уж мне эти романтические прогулки.
   — А мы во́все и не гуляли.

2. — Альмодовар — живой классик.
   — Скажешь тоже, «классик».

3. — Вся эта ваша так называемая классика — ску-ко-та́.
   — Да что ты понимаешь в кино? Тоже мне нашёлся киновед!

4. — Что ты можешь понимать в этих фильмах-загадках Муратовой?
   — Позволь не согласиться с тобой.

---
[1] Жу́тко — *разг., экспрес.* очень сильно.

22 **ЗАДАНИЕ: Возразите собеседнику, используя наиболее соответствующее вашему темпераменту и ситуации выражение из предыдущего задания.**

1. — В заверше́ние нашей лекции я ещё раз подчеркну: история культуры русского зарубе́жья никакого отноше́ния к современной России не имеет!
   — ...

2. — Не понимаю, как ты можешь так смело высказывать свои мысли об искусстве, тем более в кругу зна́ющих и авторитетных специалистов, как это было на сегодняшней тусо́вке[1].
   — ...

3. — Ох, уж мне этот Интерне́т! Должно быть, опять ты всю ночь за компью́тером просидел?
   — ...

4. — Я уверен на все сто, что поляки у че́хов завтра в футбол выиграют.
   — ...

5. — Не вижу смысла наводить порядок в квартире, если завтра сестра своих чу́дных сынко́в[2] привозит. Всё равно вместе с нашим Ви́тькой эти джиги́ты[3] весь дом вверх дном перевернут[4].
   — ...

6. — Ни одного приличного кинорежиссёра-женщины назвать не могу. Как ни крути́, а кино — мужское дело.
   — ...

СТИЛИСТИКА

ПУБЛИЦИСТИЧЕСКАЯ РЕЧЬ

СФЕРА УПОТРЕБЛЕНИЯ
- печать (газеты, журналы);
- электронные средства массовой информации (телевидение, радио, Интернет).

ЖАНРЫ
- статья,
- заметка,
- очерк,
- интервью,
- другие публицистические жанры.

---

[1] Тусо́вка — *разг., жарг.* 1) встреча, вечеринка; 2) группа лиц, объединённых общими интересами.

[2] Сыно́к — *разг., уменьшит.-ласк.* от *сын*.

[3] Джиги́т — наездник на Кавказе, здесь: *ирон.* по отношению к подвижному, шумному ребёнку.

[4] Переверну́ть вверх дном — *разг.* создать беспорядок в помещении.

ХАРАКТЕРИСТИКИ

* оценочность, экспрессивность;
* большое количество актуальной лексики;
* присутствие личностного начала (выражение авторской и других точек зрения);
* наличие клишированных речевых средств;
* допустимость эмоционально окрашенных средств.

23

ЗАДАНИЕ: Прочитайте текст.

В 1999 году «Оскар» за короткометражный анимационный фильм достался нашему Александру Петрову — за «Старика и море» (вариацию на тему некогда модной повести Хемингуэя). Петров одолел дядюшку «Оскара» с третьей попытки: по ходу 90-х в престижную пятёрку номинантов попадали его фильмы «Корова» и «Русалка». Правда, два первых фильма являлись российскими, а последний сделан в Канаде и на канадские деньги, но таковы судьбы отечественной анимации. Будем считать, что коли автор наш, то и фильм тоже. Хотя бы наполовину. Пора вносить изменения в статистику.

Советские и российские фильмы получали «Оскары» пять раз: документальная лента «Разгром немецко-фашистских войск под Москвой» («Оскар» по итогам 1942 года), а также игровые «Война и мир», «Москва слезам не верит», «Утомлённые солнцем» и «Дерсу Узала» (снятая, впрочем, не Михалковым и не Меньшовым, а Акирой Куросавой). Так что в сумме у нас теперь примерно пять с половиной статуэток.

По статье Ю. Гладильщикова
на интернет-странице журнала «Итоги» www.itogi.ru

Выберем из данного текста элементы, позволяющие отнести его к публицистическому стилю.

актуальная лексика:

* *Александр Петров; анимационный фильм «Старик и море» и пр.;*

оценочность и экспрессивность:

* *в престижную пятёрку номинантов попадали его фильмы «Корова» и «Русалка» и пр.;*

личностное начало:

* *правда; будем считать;*
* *так что в сумме у нас примерно* **пять с половиной статуэток** (авторская ирония) *и пр.;*

клише:

* *в престижную пятёрку номинантов попадали фильмы; приз за фильм достался; судьбы отечественной анимации и пр.;*

эмоционально-окрашенные средства:

* *Коли автор наш, то и фильм тоже. Хотя бы наполовину.* (деление сложного предложения на две части, чтобы заставить читателя услышать эмоционально-окрашенную интонацию);
* *одолел дядюшку Оскара и пр.*

24 **ЗАДАНИЕ: Перечитайте интервью со скульптором Шемякиным (задание 36 второго урока). Найдите в нём элементы, характерные для публицистического стиля речи.**

25 **ЗАДАНИЕ[1]: Ознакомьтесь с фрагментами двух рецензий на фильм «Утомлённые солнцем», найдите в них черты публицистического стиля речи.**

Трудности произношения:
НКВД — произносится: [энкавэдэ].

1

Один день жизни комдива[2] Кóтова, над которым уже занесенá рукá[3] НКВД (грамотно[4] впихнýть 12 часов реальной жизни в 2 часа 20 минут экранного времени тоже надо уметь). Огромное количество символов. Масса смы́слов. Стильно. Действительно замечательная игра актёров. Смотреть интересно — каждая сцена знáчима. Всё вышескáзанное означает, что «Утомлённые солнцем» — хорошее кино.

2

Нашумéвший фильм Ники́ты Михалкóва называется «Утомлённые солнцем». Откуда это — понятно: до войны было общеизвéстное тáнго «Утомлённое солнце». Оно навя́зло в ушáх[5], звучá на всех без исключения танцплощáдках[6] страны. Уже тогда к нему относились весьма иронически. По радио часто пели пародию: «Утомлённое солнце нежно с мо... нежно с мо... нежно с морем прощалось...» Суть в том, что патефон или радиóлу порой заедáло — иголки тупи́лись, болтались в расшáтанных борóздках пластинок. Но что значит «Утомлённые солнцем»? Я как-то задал такой вопрос своим достаточно искушённым знакомым. Ответили все примерно одинаково: утомлённые системой, временем, Стáлиным... Ничего себе утомлённые! Люди были ослеплены́, обожжены́, облучены́ этим смертельным светом. И при чём здесь это трогательное курóртное танго?

26 **ЗАДАНИЕ: После выхода фильма «Утомлённые солнцем» журнал, специализирующийся на кино, заказал вам короткую статью на одну из следующих тем:**

1. Заблудившийся шофёр
2. Символ шаровой молнии
3. Семантика названия фильма
4. Комическое в фильме
5. Стáлин в фильме
6. НКВД в фильме
7. Актёрские удачи в фильме

---

[1] Задания 25 и 26 рекомендуется выполнять после просмотра и разбора фильма «Утомлённые солнцем».

[2] Комди́в — *сокр.* от *командир дивизии*.

[3] Рукá занесена (над кем? над чем?) — *высок.* о неминýемой угрозе человеку.

[4] Грáмотно — *разг.* профессионально.

[5] В ушáх навя́зло — *разг., груб.* о том, что надоело слушать из-за частого повторения (окказиональное образование от фразеологизма *в зубах навязло* — 'устал повторять').

[6] Танцплощáдка — *сокр.* от *танцевальная площадка* — открытое место для танцев, обычно в общественных парках.

Представьте себя журналистом и напишите такую статью. Придумайте для неё яркий заголовок, который бы одновременно и отражал основную мысль вашего текста, и мог бы привлечь внимание читателей.

ФИЛЬМ

«УТОМЛЁННЫЕ СОЛНЦЕМ»
Фильм Никиты Михалкова

27 **ЗАДАНИЕ: Ознакомьтесь с аннотацией к фильму. Как вы думаете, для каких целей она была написана?**

Летний день 1936 года. Дачный посёлок ХЛАМ, где живут художники и музыканты, литераторы и артисты. Великая страна — Советский Союз — отмечает шестую годовщи́ну сталинского дирижаблестрое́ния. На даче известного русского дирижёра внеза́пно появляется его любимый ученик Ми́тя. Когда-то он был влюблён в дочь своего учителя Мару́сю, которая, после того как Ми́тя десять лет назад бессле́дно исчез, вышла замуж за просла́вленного комди́ва Кра́сной а́рмии Сергея Ко́това. Обая́тельный, артистичный Ми́тя, которому все в семье ра́ды, оказывается аге́нтом НКВД. Он приехал сдать «о́рганам»[1] преданно служившего советской власти боевого командира Ко́това (когда-то завербова́вшего в чеки́сты[2] самого́ Ми́тю).

В 1996 году фильм был удосто́ен премии «О́скар».

Комментарий:
ХЛАМ — в русском языке есть обычное слово *хлам*, означающее негодные старые вещи; что-либо бесполезное, ненужное. В данном случае *ХЛАМ* — аббревиатура от названия посёлка, где живут художники, литераторы, артисты и музыканты. На соединении этих значений строится игра слов.

28 **ЗАДАНИЕ:** *1936 год, сталинское дирижаблестроение, НКВД, прославленный комдив Красной армии, завербовать в чекисты* — о чём нам могут напомнить эти словосочетания из аннотации? Что вам известно об этом периоде российской истории?

1. Вы, конечно, знаете, что Революция 1917 года (или, как теперь принято её называть, Октябрьский переворот) привела к Гражда́нской войне? Кто оказался противниками в этой войне? Какая из сторон победила?

2. Перед каким выбором оказались побеждённые? Какова дальнейшая судьба белогвардейцев и людей, разделявших их идеи?

3. Кто стал руководить СССР после смерти Ленина? Как можно охарактеризовать стиль его правле́ния?

4. Почему вторую половину 30-х годов признают самым драмати́чным периодом в советской истории? Что вам известно о сталинских репре́ссиях? Какие

---

[1] О́рганы — *разг.* органы внутренних дел.
[2] Чеки́ст — работник ЧК (Всероссийской чрезвычайной комиссии по борьбе с контрреволюцией, спекуляцией и саботажем (создана 20.12.1917), сегодня так называют иногда сотрудников современных служб госбезопасности).

социальные группы в бо́льшей сте́пени пострадали от репрессий? Чем это объясняется?

5. НКВД [энкавэдэ́] — ОГПУ [огэпэу́] — КГБ [кагэбэ́] — ФСБ [эфэсбэ́ или фээсбэ́]. Что вам известно об этих государственных службах и их роли в истории страны?

6. Известно, что военная профессия была высокоуважа́ема в то время. Как вы думаете почему? Что можно сказать о политической ситуации в мире в тридцатые годы?

7. Может быть, вы слышали или читали о так называемых отря́дах гражда́нской обороны? С какой целью они были созданы?

8. Коммунисты, комсомольцы, пионеры, октябрята. Что вам известно о членах этих советских общественно-политических организаций? Как они были связаны между собой?

Многие из вас, конечно, уже видели обсуждаемый фильм. Тех же, кто ещё не знаком с ним, мы просим посмотреть его. Вот выходные данные картины:

УТОМЛЁННЫЕ СОЛНЦЕМ
1994 г.
Студия «ТриТэ»

Режиссёр Никита Михалков

В главных ролях:
Никита Михалков
Олег Меньшиков
Ингеборга Дапкунайте
Владимир Ильин
Надя Михалкова

29 ЗАДАНИЕ: Чтобы лучше понять содержание фильма, давайте сначала познакомимся с его действующими лицами (см. 3-ю стр. обложки).

ДЕЙСТВУЮЩИЕ ЛИЦА

Главные герои

Сергей Петро́вич Ко́тов — командир дивизии (комдив)
Ми́тя — агент НКВД, музыкант
Мару́ся — жена Ко́това, бывшая неве́ста Мити
На́дя — дочь Ко́това и Мару́си, семи́ лет

Персонажи второго плана

О́льга Никола́евна — мать Мару́си, вдова́ Бори́са Константи́новича, известного дирижёра, учителя Ми́ти
Ли́дия Степа́новна — мать Бори́са Константи́новича
Еле́на Миха́йловна — родственница, бывшая оперная певица, мать Ки́рика
Все́волод Константи́нович Голови́н — преподаватель, доцент пра́ва, брат Бори́са Константи́новича Головина

Ки́рик — родственник
Ка́тя Мо́хова — домработница

Эпизодические роли

Сотрудники НКВД
Заблудившийся шофёр
Лю́ба Гру́шева — аспирантка Все́волода Константи́новича Головина́
Фили́пп — Ми́тин слуга
Старший лейтена́нт та́нкового подразделе́ния

Если вы хотите лучше понять фильм, можете обратиться к тексту его ключевых сцен (диалоги задания 35).

30 **ЗАДАНИЕ: Посмотрев фильм, вам, конечно, захочется поделиться своими впечатлениями. Мы предлагаем вам примеры зачинов:**

Ка́рпов Б.Н., Ви́кторов В.П.
И.В. Сталин. 1949 г., плакат

1. Фильм мне показался (каким?) ... .

2. Мне трудно оценить фильм, потому что ... .

3. После первого просмотра картины я могу сказать, что ... .

4. Что вам сказать? Мне нужно подумать, собраться с мыслями[1], я хотел бы взять слово попозже.

5. Может, кому-то моё мнение не понравится, но я считаю, что ... .

6. Трудно судить о таком сложном фильме сразу после просмотра. Нужно подумать.

7. Наверное, не все согласятся со мной, но для меня этот фильм (каков?) ... .

8. Я готов спорить с любым, кто скажет, что ... .

9. Первое впечатление самое важное, и я хочу сказать, что ... .

10. После просмотра фильма чувствуешь/понимаешь/ощущаешь, что ... .

11. Мне странно слышать ваши (какие?) ... отзывы об этом фильме. Сам я считаю, что ... .

12. Я уверена, что все согласятся со мной, что ... .

13. Конечно, неподготовленному зрителю тяжело будет понять, ...

14. Вот вы тут говорите: «...». Я же уверен, что ... .

15. Фильм, конечно, (какой?) ... , но непонятно, ...

16. Хочу заметить, что ... .

17. Смотришь-смотришь, а понять ничего нельзя! Не фильм, а кроссворд какой-то!

18. Когда я вышла из зала, я почувствовала себя ... . Так много впечатлений! Были даже моменты, когда мне хотелось ... .

19. Я едва досидел до конца и чуть не заснул во время просмотра. Ску-ко-та.

---

[1] Собраться с мыслями — *фразеолог.* сконцентрироваться, сосредоточиться.

Определите, какие из этих зачинов служат для того, чтобы:

1) высказать своё мнение, впечатление:
   а) нейтральное,
   б) отрицательное,
   в) спорное;
2) уйти от ответа на вопрос о впечатлении от фильма;
3) оценить мнения, впечатления других зрителей;
4) пригласить к обсуждению своего собственного мнения.

31   **ЗАДАНИЕ: Какое впечатление произвёл на вас фильм? Всё ли вам было понятно? Предлагаем обсудить его в группе, используя зачины, предложенные в предыдущем задании.**

32   **ЗАДАНИЕ: Просмотрите последовательность сцен фильма и отметьте те из них, которые вы считаете наиболее важными.**

СЦЕНЫ (ЭПИЗОДЫ) ФИЛЬМА

№	Участники эпизода	Условное название эпизода
1	Митя, его слуга	Митя испытывает судьбу. Диалог со слугой.
2	Котов	Котов помогает колхозникам. Разговор с лейтенантом.
3	Родственники Маруси, Котов	Первая общая сцена на даче. За завтраком.
4	Митя и все	Приход Мити.
5	Митя, Маруся, Котов, Надя	На реке.
6	Митя и Маруся	Диалог на берегу.
7	Котов и Надя	Беседа в лодке.
8	Митя и Маруся	Разговор о прошлом в ивовых зарослях.
9	Котов и Надя	Возвращение на пустой пляж.
10	Родственники Маруси, Котов	Танцы на даче.
11	Шофёр	Шофёр видит подъём полотнища с портретом Сталина.
12	Родственники Маруси, Котов	Вторая общая сцена на даче. Разговор за обедом о настоящем.
13	Митя, Надя, Котов, Маруся и её родственники	Митина сказка.
14		Шаровая молния в доме.
15	Котов и Маруся	Сцена любви.
16		Шаровая молния ударяет в дерево.
17	Митя и Кирик	История женитьбы Сергея и Маруси.
18	Митя, Маруся, Котов	Митя сообщает Котову об аресте.
19	Родственники Маруси, Котов, Митя	Футбол.

20	Митя и Котов	Разговор на футболе.
21	Котов, Надя, пионеры	Рапорт пионеров.
22	Работники НКВД	Прие́зд работников НКВД.
23	Котов	Ко́тов гото́вится к отъе́зду.
24	Надя, работники НКВД	Разгово́р На́ди с работниками НКВД.
25	Надя, Котов	На́дя с отцо́м.
26		Портре́т Ста́лина.
27	Родственники Мару́си, Котов	Провожа́ют Ко́това.
28	Котов, Митя, Надя и работники НКВД	В маши́не. На́дя ведёт маши́ну.
29	Котов, Митя и работники НКВД	Моноло́г Ко́това в маши́не.
30	Те же	Встре́ча с заблуди́вшимся шофёром. Избие́ние Ко́това и расстре́л шофёра.
31	Митя	Ми́тя отдаёт честь поднима́ющемуся поло́тнищу с портре́том Ста́лина.
32	Котов, Митя и работники НКВД	В маши́не после дра́ки.
33	Митя	Самоуби́йство Ми́ти.
34		Шарова́я мо́лния.
35		Эпилог.

ЗАДАНИЕ: Впишите имена героев фильма в схему. Укажите, кто из героев кому кем приходится.

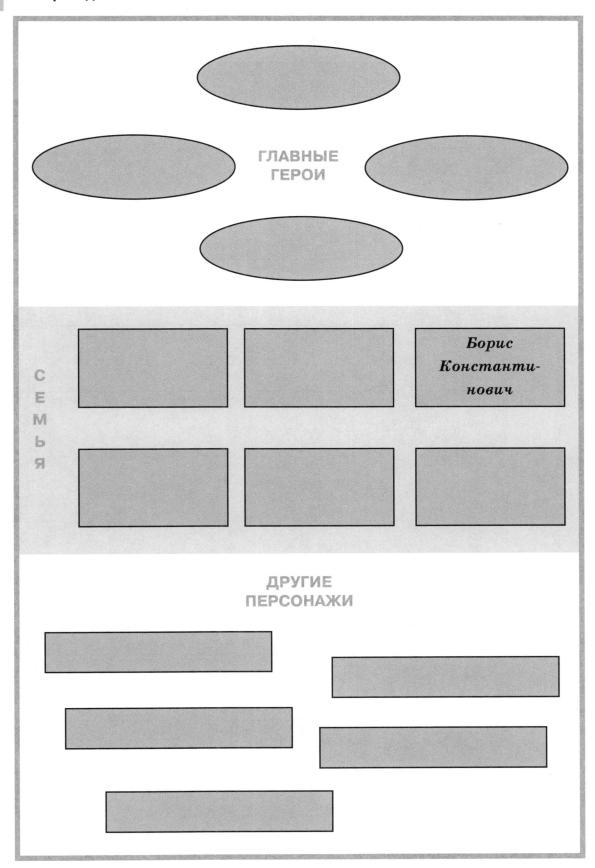

34 Сценаристу и режиссёру фильма удалось уместить всё его действие в одни сутки. **ЗАДАНИЕ:** Распределите главные сцены по часам дня, создав таким образом хронотоп картины.

ОДИН ЛЕТНИЙ ДЕНЬ... СССР... 1936 ГОД...

УТРО	7	
	8	
	9	
	10	
	11	
ДЕНЬ	12	
	13	
	14	
	15	
	16	
ВЕЧЕР	17	
	18	

35

ЗАДАНИЕ: Прочитайте разговоры, которые звучат в ключевых эпизодах фильма. Они помогут вам осмыслить его художественные идеи.

1-я СЦЕНА

За завтраком Всеволод Константинович произносит такую фразу:

Всеволод Константинович: У нас снова была чи́стка. Полка́федры вы́гнали за недостаточное знание первоисто́чников марксизма-ленинизма[1].

Ольга Николаевна: Полка́федры?

Всеволод Константинович: Меня не тронули[2].

О какой чи́стке идёт речь? Почему Все́волода Константи́новича «не тро́нули»?

2-я СЦЕНА

За завтраком Кирик бросает такую реплику Всеволоду Константиновичу:

Кирик: Вы ве́чный доцент. Ваши друзья, пардо́н, уже давно академики.

Всеволод Константинович: О нет. Это не мои друзья. Мои — «ины́х уж нет, а те дале́че»[3].

1. О каких друзьях идёт речь?
2. Почему Всеволод Константинович говорит, что его друзья не стали академиками?

3-я СЦЕНА

Приход Мити на дачу и знакомство с Котовым.

Маруся: Познакомься. Вот это мой муж Сергей. А это тот самый Митя, друг нашего дома, люби́мец отца.

Елена Михайловна: Его лучший ученик.

Котов: Здра́сьте[4]! Котов.

Митя: Очень приятно.

Котов: Мне тоже.

Митя: Но, впрочем, мы же знакомы.

Котов: Ну как же, как же, помню.

Маруся: Как вы знакомы?

Митя: Но это было давно. Мимолётно и в прошлой жизни.

1. Кто такой Митя?
2. Были ли Митя и Котов действительно раньше знакомы?

4-я СЦЕНА

На пляже Надя, глядя на пионеров, делится своими мечтами с Митей.

Надя: Как я хочу стать пионеркой, да поскоре́й!
Митя: Почему?
Надя: Как почему? По го́рну вставать, по свистку́ купаться.
Митя: Да. Под оркестр в гробу́ лежать. Кто сказал?
Надя: Почему?

---

[1] Маркси́зм-ленини́зм — *совет.* философско-экономическое учение о коммунизме, созданное К. Марксом и развитое В. Лениным.

[2] Тро́нуть (кого?) — *разг.* подвергнуть наказанию.

[3] «Ины́х уж нет, а те дале́че» — *высок., поэтич.* об уехавших или умерших людях (цитата из романа А.С. Пушкина «Евгений Онегин»).

[4] Здра́сьте — *разг.* здравствуйте.

Митя: Ну как почему? По го́рну — вставать, по свистку́ — купаться, под барабан — шагать, под бая́н — обедать, и если хорошо всё это делаешь, то в гробу́ будешь лежать под оркестр.

Надя: Почему...

Митя промолчал. Ответьте вместо него.

5-я СЦЕНА

Рассматривая Котова на пляже, Митя бросает такую реплику:

Митя: Мощные бро́нзовые плечи. Не[1], я понимаю: белосне́жная улыбка, портреты во всех учрежде́ниях. И как всё это ру́шится! Одним щелчко́м!

Почему Митя адресует эту реплику Марусе? Что может разрушиться очень быстро?

6-я СЦЕНА

Учения гражданской обороны (ГРОБ[2]) на пляже. Увидев приближающийся отряд, Ольга Николаевна и Мохова прячутся в высокой траве.

Ольга Николаевна и Мохова: ГРОБ! ГРОБ! Граж-дан-ская обо-ро-на. Опять уче́ния проводят. Химическая ата́ка. Уходите, уходите, заберут.

Маруся: Ещё далеко.

Ольга Николаевна: Заберут. Опять шланг наденут.

Мохова: О́льга Никола́евна, я боюсь. Опять противога́з наденут.

Ольга Николаевна: Ничего, Ка́тенька, мы успеем.

Мохова: Они нас поймали, они нас поймали, носи́льники[3] какие-то они... гражданская оборона...

Ольга Николаевна: Ка́тя! Носи́льщики.

Мохова: За грудь меня хватали...

Ольга Николаевна: Ну, подумаешь...

Мохова: За коле́нки...

Ольга Николаевна: Другая бы рада была. Что ты говоришь?

Мохова: Я девушка[4], а они меня хватают.

Ольга Николаевна: Уже все в окру́ге знают, что ты девушка...

Почему герои не хотят принимать участие в учениях ГРО́Ба?

7-я СЦЕНА

За обедом вспыхнул спор о прошлом и настоящем.

Лидия Степановна: Ой, какое было время. Какое было время!..

Всеволод Константинович: Да время и сейчас... неплохое, но вот... общий аромат... вкуса жизни... это исчезло. Навсегда.

Котов: Вот вас послушаешь-послушаешь. Какая же у вас жизнь-то была хорошая.

---

[1] Не — *разг.* нет.

[2] ГРОБ — *ирон., авторское сокр.* от *гражданская оборона.*

[3] Комизм ситуации строится на смешении слов **носильники** и **насильники**, первого из которых в действительности в языке не существует, но оно может быть окказиона́льно образовано малограмотными людьми (к числу которых в данном контексте относится Мохова). Ср.: носильник (ошибочно от *носить*) вместо носи́льщик — тот, кто носит; насильник — тот, кто *насилует.*

[4] Де́вушка — в одном из значений: девственница.

Всеволод Константинович: Хорошая.
Котов: Что ж вы её тогда не защитили-то, ребятки?
Всеволод Константинович: То есть?
Котов: Ну как, вот так.
Всеволод Константинович: Мы защищались.
Котов: Как же вы так «защищались». Когда... Как же... Почему же вы бежали-то? А?
Всеволод Константинович: Кто бежал?
Котов: Вот вы. Вы — вооружённые, Антантой[1] поддержанные, такие все крепкие, в погонах, что же вы бежали от нищих, полуголых, неграмотных людей? Вот я, например, никогда военному делу не учился. Никогда, нигде. Вот, ни-ког-да. А гнал вас, гнал вас — от Урала через Сибирь. Гнал и гнал, гнал и гнал, и ничего — и гнал.
Всеволод Константинович: Знаете, а ведь это вопрос философский.
Котов: А! Правильно, академик[2] ты мой. Вопрос философский. Потому что вам предложить было нечего. Вы хотели, чтобы было так, как было. А теперь воспоминания. Ай-яй-яй! Какая была жизнь, как нам было хорошо, как нам было прекрасно! Конечно, некоторые из вас-то молодцы, правильно дело поняли: стали служить революции: умело, честно, не за страх, а за совесть.
Всеволод Константинович: Сергей Петрович...

1. Каковы взгляды спорящих на прошлое?
2. В чём обвиняет Котов старую интеллигенцию?

8-я СЦЕНА
Сказка Мити.

Комментарий к типичным элементам сказок:

В тридевятом царстве, в тридесятом государстве — типичный зачин русской сказки, определяющий место действия как неизвестное или отдалённое;
Поезжай-ка ты туда, не знаю куда, и сделай-ка ты то, не знаю что — формула самого трудного из испытаний, которое назначает злой волшебник доброму герою в русской сказке;
А не то голова с плеч — формула угрозы в случае невыполнения испытания в русской сказке;
Всесильный мой господин — обращение к повелителю в восточных сказках;
Кащей — злой волшебник, худой старик, олицетворяющий смерть;
Леший — дух, хозяин леса.

Другие клише, характерные для языка русских сказок:

• Не мог вымолвить ни слова;
• Пошёл... домой, пригорюнился, походил-походил чернее тучи, подумал-подумал, потом собрал вещи, да и уехал, так ничего никому и не сказал.
• Принцесса поплакала-поплакала...

_____

[1] Антанта — военный союз Англии, Франции и России против Германии и её союзников в годы Первой мировой войны.
[2] Академик — *разг., ирон.* о ком-нибудь очень умном.

Митя: Сказка. В тридевя́том ца́рстве, в тридеся́том госуда́рстве жил-был мальчик, зва́ли кото́рого Яти́м. Он замеча́тельно пел, игра́л на разных ин-
струме́нтах, люби́л стихи́. А роди́тели его́ дружи́ли с одни́м о́чень до-
брым волше́бником по и́мени Сиро́б.

Надя: Без хвоста́.

Митя: Без хвоста́. И о́чень нра́вился ма́ленький Яти́м до́брому Сиро́бу. И взял
он его́ в свой дом на воспита́ние. И стал учи́ть его́ волше́бной му́зыке. И
полюби́ли они́ друг дру́га как оте́ц сы́на и сын — отца́. Вот такая, Нади́н,
исто́рия. Ско́ро у Сиро́ба родила́сь дочь. Да. И назва́ли её Ясу́м.

Надя: Какое смешно́е и́мя!

Митя: Угу́[1]. Дом у Сиро́ба был большо́й, све́тлый, шу́мный, весёлый и, коне́чно
же, счастли́вый.

Надя: Как наш.

Митя: Как наш. Как ваш. Но одна́жды всё это ко́нчилось. И ко́фе на вера́нде
вот из таких же бе́лых ча́шек, и шара́ды, и кроке́т по́сле обе́да, и чте́ние
вслух под пе́ние сверчка́, и спо́ры, и смех — всё, всё, всё, всё ко́нчилось.
А ко́нчилось потому́, что пришла́ война́.

Надя: С кем война́? С буржуи́нами[2]?

Митя: Это не важно, с кем, Нади́н, а важно то, что Яти́м ушёл на фронт. И всё
это вре́мя и в око́пах, и в го́спитале, и в разных страна́х он ка́ждый день,
и́менно ка́ждый день, Нади́н, вспомина́л большо́й дом, и сад, и ли́ца,
даже ста́рого сверчка́, кото́рого так все руга́ли, когда́ он меша́л читать.

Надя: А у нас то́же есть сверчо́к. Вот там.

Митя: Так это друго́й сверчо́к. Он весёлую пе́сню поёт, а тот пел гру́стные.
Вы́пьем, Надь[3].

Надя: С ума́ сошёл?

Митя: Вы́пьем, вы́пьем, вы́пьем. Вы́-пьем. Так вот де́сять лет он скита́... О-о! А
тут уже́!.. Он скита́лся по разным страна́м. Что он то́лько ни де́лал: во-
дил такси́, игра́л на фортепиа́но в рестора́нах, пел на у́лице, танцева́л в
кабаре́, даже та́почки шил. И всё это вре́мя он безу́мно тоскова́л по э́тому
до́му. Ну, по тому́ до́му, где он жил ра́ньше.

А через де́сять лет он верну́лся. Роди́тели его́ уже́ у́мерли, ну... они́ по-
ги́бли в той войне́... с буржуи́нами. Ему́ не́куда бы́ло бо́льше идти́, и он
пря́мо с по́езда побежа́л в дом, к своему́ учи́телю. Была́ зима́, и, кро́ме
сне́га, он ничего́ не узна́л в свое́й стране́ — так она́ перемени́лась. И то́ль-
ко дом был как пре́жде. Замира́я се́рдцем, он позвони́л.

Дверь ему́ откры́ла де́вушка тако́й красоты́, какой Яти́м не встреча́л ни-
где́, никогда́, хотя́ объе́здил сто́лько стран. «Ты кто?» — спроси́л удив-
лённый Яти́м. «Я Ясу́м», — отве́тила краса́вица. «Го́споди, неуже́ли ты
та са́мая Ясу́м, кото́рая пи́салась в пантало́ны, засыпа́ла, си́дя на коле́-
нях у своего́ отца́, когда́ он учи́л меня́ му́зыке?» — «Да, я та са́мая Ясу́м.
Проходи́. Мы давно́ тебя́ ждём, хотя́ па́па наш о́чень бо́лен». А Яти́м сто-
я́л, изумлённый, и смотре́л на краса́вицу Ясу́м, и не мог вы́молвить ни
сло́ва.

Надя: А я знаю, что было дальше.

Митя: Что было дальше?

Надя: Они́ пожени́лись, и...

---

[1] Угу́ — *меж.* = да.

[2] Буржуи́н — *совет., экспрес., неодобр.* о любо́м представи́теле капиталисти́ческой страны как о враге́ коммуни́зма.

[3] Надь — *разг.* обраще́ние к На́де.

Митя: И!

Надя: У них…

Митя: А вот и нет! А вот и не поженились!

Надя: Почему?

Митя: Потому что не успели. Потому что вызвал Яти́ма к себе однажды все-си́льный и важный человек.

Надя: Кто?

Митя: Кто?

Надя: Каще́й?

Митя: Ну, всё-таки не такой важный, как Каще́й.

Надя: Ле́ший?

Митя: Нет, не Ле́ший, да не помню я, как его звали. Вызвал его к себе в боль-шой дом и говорит: «Вот что, товарищ мой ненагля́дный Яти́м, поезжай-ка ты туда, не знаю куда, и сделай-ка ты то…

Надя: …Не знаю что.

Митя: Правильно. А Яти́м ему в ответ: «Да, как же это так, всеси́льный мой господин. Э-э… то есть товарищ. Я уже нае́здился, навоева́лся, дома хочу жить, тихо с семьёй». А он говорит: «По-меща́нски рассуждаешь, доро-гой Яти́м, по-меща́нски».

Надя: Что значит «по-меща́нски»?

Митя: Ну, неправильно, значит. «Плохо, плохо рассуждаешь, Яти́м, пло-хо. Тебя на родину пустили не для того, чтобы ты гнёздышко[1] своё меща́нское, плохое вил. Так что собирай-ка ты свои вещи́чки[2], давай-ка, брато́к[3], пиши заявле́ньице[4] собственнору́чно, неделя тебе на размышле-ние, а не то…»

Надя: Голова с плеч.

Митя: Правильно. Пошёл Яти́м домой, пригорю́нился, походил-походил чернее ту́чи, подумал-подумал, потом собрал вещи, да и уехал, так ничего ни-кому и не сказал.

Надя: Почему?

Митя: Потому что не́чего ему было говорить, Надин. Много он видел крови и беды́, и очень он не хотел, чтобы беда и кровь пришли в любимый дом. А ещё потому, Нади́н, что было ему всего двадцать семь лет, как твоей маме сейчас, и ему очень хотелось жить.

Надя: А как же принцесса?

Митя: Принцесса? Принцесса попла́кала-попла́кала, попла́кала-попла́кала — и замуж вышла.

Надя: За Каще́я?

Митя: Угу́. Вот за того са́мого, которого я не помню, как звали.

1. Догадались ли вы, почему герои Ми́тиной сказки носят такие странные имена? Как их можно расшифровать?

2. Знаете ли вы, кто такие Каще́й и Ле́ший?

3. Несколько раз Митя произносит слово *мещанский*. Какие значения у этого сло-ва есть в русском языке?

4. Что мы узнаём о прошлом Мити из его сказки?

---

[1] Гнёздышко вить — *разг., экспрес.* создавать семью.

[2] Вещи́чки — *разг., уменьшит.* от *вещи.*

[3] Брато́к — *разг.* обращение мужчины средних лет к мужчине того же возраста.

[4] Заявле́ньице — *разг., уменьшит.* от *заявление.*

9-я СЦЕНА
Странные слова Мити на лестнице.

Котов: Звал?
Митя: Ага[1].
Котов: Ну чего?
Митя: ...
Котов: Ну, в общем, так: никому ни слова. Ты гость и веди себя, как подобает гостю. У? А машина придёт — вместе уедем. У нас сегодня футбол. Ты в футбол-то умеешь?
Митя: Ну, играл когда-то.
Котов: Ну, значит, поиграем в футбол. У нас сегодня воскресенье, мы всегда в футбол играем, да, Надька?
Митя: Да, Сергей Петрович, может, вы чего не поняли?
Котов: Всё понятно. Два часа ещё до машины. Что время-то тратить? Футбол. Фут-бо-о-л!

Вы поняли, зачем Митя вызвал Котова для разговора?

10-я СЦЕНА
Разговор на футболе.

Митя: Нашли мячик?
Котов: Не, не, сейчас найду.
Митя: Сергей Петрович, как-то странно.
Котов: А?
Митя: Может, вы чего не поняли? У вас же один час остался. Вы его на что тратите?
Котов: А ты что думал, я буду бумажки[2] жечь? Да? Или стреляться захочу? Меня другое интересует: ты сюда сам приехал или тебя заставили, Андерсен[3]?
Митя: Что-что-что-что-что?
Котов: Сказочник хренов[4]. Что ж ты, а? Что ж ты в своей сказке-то не рассказал, что с двадцать третьего года завербован ОГПУ[5] как тайный агент по кличке то ли Пианист, то ли Музыкант? Сдал нам восемь высших чинов белого движения[6]. С твоей помощью их похищали, привозили сюда и тут расстреливали без суда и следствия как контрреволюционеров и врагов трудового народа[7].
Митя: А вы их таковыми не считаете?
Котов: Я? Считаю. Только я против них четыре года воевал. А ты — с ними, за них. А потом всех сдал — восемь человек: генерал Корнев, генерал Вейлер, Машков — всех!
Митя: Сергей Петрович, уж кто-кто, а вы-то знаете, что меня заставили.

---

[1] Ага — *разг.* да.

[2] Бумажки — *разг., пренебр.* документы.

[3] Ганс-Христиан Андерсен — знаменитый датский писатель-сказочник.

[4] Хренов — *разг., груб.* плохой.

[5] ОГПУ — Объединённое государственное политическое управление, орган исполнительной власти, занимавшийся вопросами государственной безопасности в 1932–1934 гг. и осуществлявший политические репрессии.

[6] Белое движение — политическое движение сторонников монархии, противостоявшее красному (рабоче-крестьянскому) движению во время Гражданской войны.

[7] Враг трудового народа — *совет., неодобр.* о человеке, не участвующем или противодействующем строительству коммунизма в СССР.

Котов: Кто? Да кто ж тебя заставил-то, ангел ты мой? Я тебя в двадцать третьем году знать не знал, слыхать про тебя ничего не слышал. Тебя купили. Пóшло купили: за фрáнки.

Митя: Не смéйте так со мной разговаривать! Я просто сюда рвался. Вот в этот дом. Мне обещали, а я, дурак, поверил. Ваши дружкú мне обещали, говорили: «Сделай это! Мы тебя пустим обратно». Только потом обманули — и ВСЁ отняли. Всё: жизнь, профессию, любовь, Марýсю, родину, веру — всё ТЫ отнял!

Котов: Ах вот ты для чего сюда приехал! Насладиться, обидой своей насладиться! По кáпельке, по глотóчку выпить. А потом — бац: «Вы арестованы, гражданин Кóтов!»

Митя: Я, между прочим, пошёл на должностнóе преступление и вас предупредил.

Котов: Врёшь! Ты опять врёшь! Ты ведёшь себя, как последняя блядь[1] опять! Опять: и нашим, и вашим. Чтоб я потом учёл. Ты ж знаешь, чем всё кончится. Кто меня трóнет? Кто меня трóнет? Героя революции! Легендарного комдива! Кто меня тронет? Кóтова!

Митя: Ох, я тебе всё это напомню. Ох, я посмотрю на тебя... дней через пять. Когда ты, пóлзая в собственном говнé[2], собственнорýчно подпишешь признание, что ты с двадцáтого года являешься немецким шпионом, а с двадцать третьего — ещё и япóнским. И что ты диверсáнт, и организатор покушéния на товарища Стáлина. А если ты не подпишешь, сýка[3], то мы тебе напомним, что у тебя есть жена и дочь.

<...>

Надя: Папа, папа, пионеры идут к тебе! Там пионеры твои идут!

Котов: Какие пионеры? Что?

Надя: А где дядя Митя́й[4]?

Митя: А дядя Митя́й мячик нашёл. Надь, а ты скажи, почему меня всё время обижают в этом доме? Постоянно.

Надя: Папа, папа, твои пионеры идут. Скорей! Дядь[5] Мúтя, пошли. Пошли, пошли.

Котов: Я тебе не сильно попáл?

Митя: Не, нормально.

Котов: А зачем тебя раньше прислали?

Митя: Чтоб вы по своей дýри[6] глупостей не наделали.

Котов: Óбыск будет?

Митя: Да, завтра.

Котов: А почему завтра?

Митя: Потому что не при мне.

Котов: Понятно. В общем, так: никому ни слóва, пришла машина, вместе уехали — и всё.

Митя: Хорошо.

Котов: Ты обещал.

1. Что мы узнаём о жизни Мити от Котова?
2. Почему Митя приехал на дачу?
3. Как Котов оценивает своё положение? А Митя согласен с ним?

---

[1] Блядь — *груб., мат* продажный человек (прямое значение 'распутная женщина').

[2] Говнó — *груб.* экскремéнты.

[3] Сýка — *груб.* о человеке, вызывающем раздражение, неприя́знь (прямое значение 'самка собаки').

[4] Митя, Митяй — *разг., фамильярное* сокращённые формы имени Дмитрий.

[5] Дядь — *разг.* обращение ребёнка ко взрослому мужчине (не отцу).

[6] Дурь — *простореч., груб.* глупость.

11-я СЦЕНА
Рапорт пионеров С.П. Котову.

Вожатая: Отряд имени просла́вленного Героя Революции и Гражданской войны, большевика́-орденоно́сца, легендарного комдива товарища Котова для торжественной клятвы лично товарищу Котову построен. Раз-два.

Пионеры: Мы, юные пионеры-ленинцы отряда имени Геро́я Гражданской войны, ве́рного ученика и сора́тника товарища Ста́лина, большевика́-орденоно́сца, легендарного комдива товарища Котова, перед лицом своих товарищей, в присутствии лично товарища Котова торже́ственно кляне́мся быть верными продолжа́телями дела Ле́нина — Ста́лина[1], дела героев Великой Октябрьской революции...

О какой традиции советских пионеров мы узнаём из этой сцены?

36

Теперь, когда вы хорошо поняли содержание фильма, выйдем за рамки сюжетного действия, охватив, таким образом, целую эпоху.
ЗАДАНИЕ: Укажите даты следующих событий и заполните таблицу.

СУДЬБА СТРАНЫ

1. До какого года страной правил император Никола́й Второ́й?
2. Когда началась и окончилась Пе́рвая мировая война (для России)?
3. Когда произошла Февральская революция, свергнувшая царя?
4. Когда Россией руководило Вре́менное правительство?
5. Когда произошла Октя́брьская революция (переворот)?
6. Когда началась и окончилась Гражда́нская война в России?
7. С какого по какой год во главе страны стоял Ле́нин?
8. Когда Ста́лин стал генеральным секретарём ЦК партии?
9. Когда начались сталинские репрессии?

СУДЬБА ГЕРОЕВ ФИЛЬМА

10. Когда родились (точно или приблизительно): Ми́тя, Ко́тов, Мару́ся, На́дя?

11. Когда Ми́тя уехал в эмиграцию, когда он вернулся, когда вновь отправился за границу?

12. Когда Мару́ся вышла замуж за Серге́я Ко́това?

---

[1] Дело Ле́нина — Ста́лина — *совет.* (в эпоху правления И. Сталина): борьба за построение коммунизма в СССР.

ЭТО СЛУЧИЛОСЬ В ТЫСЯЧА ДЕВЯТЬСОТ...

	00	01	02	03	04	05	06	07	08	09	10	11	12	13	14	15	16	17	18	19	20	21	22	23	24	25	26	27	28	29	30	31	32	33	34	35	36
1																																					
2																																					
3																																					
4																																					
5																																					
6																																					
7																																					
8																																					
9																																					
10																																					
11																																					
12																																					

В таблице номера вопросов расположены по горизонтали, годы — по вертикали.

37

ЗАДАНИЕ: Нарисуйте словесные портреты Котова и Мити. Характеристики возраста и внешности подберите сами, а для описания душевного облика главных героев воспользуйтесь списком некоторых характеристик человека, который мы подготовили для облегчения вашей задачи.

ХАРАКТЕР ГЕРОЕВ

Черта характера	Относится к Мите	Относится к Котову	Относится и к Мите, и к Котову
Энерги́чный			
Де́ятельный			
Убеждённый			
Самоуве́ренный			
Сме́лый			
Твёрдый			
Весёлый			
Артисти́чный			
Обая́тельный			
Искренний			
Откры́тый			
Открове́нный			
Такти́чный			
Нежный			
Лю́бящий			
Волево́й			
Пре́данный			
Бескомпроми́ссный			
Целеустремлённый			
Жизнера́достный			
Очарова́тельный			
Жизнелюби́вый			
Остроу́мный			
Ирони́чный			
Насме́шливый			
Ла́сковый			
Дура́шливый			
Уравнове́шенный			
Коле́блющийся			
Трусли́вый			
Осторо́жный			
Мягкий			
Отта́лкивающий			
Скры́тный			
Хитрый			
Беста́ктный			
Жёсткий			

Дополните список.

⚷ 38

ЗАДАНИЕ: Сравним общественное положение Мити и Котова.

1. Каково социальное происхождение каждого из них?

Котов   Митя

_____   _____
_____   _____
_____   _____
_____   _____
_____   _____

2. Какое образование получили Котов и Митя? Какие у них профессии (какие были раньше и какие теперь)?

Котов   Митя

_____   _____
_____   _____
_____   _____
_____   _____
_____   _____

3. Участвовали ли они в Гражданской войне и на чьей стороне?

Котов   Митя

_____   _____
_____   _____
_____   _____
_____   _____
_____   _____

4. Как они относятся к реáлиям советской жизни (к настоящему)?

Котов   Митя

_____   _____
_____   _____
_____   _____
_____   _____

5. Какое социальное положение занимает каждый из них?

а) вспомните сцены фильма, характеризующие положение комдива в обществе (такие, например, как: помощь Котова колхозникам; Котов и пионерский отряд, носящий его имя; восхищение аспира́нтки Лю́бы Гру́шевой при упоминании его имени).

Котов

_____
_____
_____ ,

б) Как относятся к Ми́те работники НКВД (сцена в машине)? Какой вывод мы можем сделать из этого о его положении в обществе?

Митя

_____
_____
_____

6. Как заканчивается жизнь каждого из них?

Котов   Митя

_____   _____
_____   _____
_____   _____
_____   _____

ЛЕКСИКА

ЛЮБИТЬ

Во основе многих фильмов лежит любовная драма. Конечно же, вы умеете правильно пользоваться словами с корнем *-люб-*. **Тем же, кто не уверен в своих знаниях, советуем повторить эту тему.**

ЗАДАНИЕ: А) Сначала укажите управление глаголов, а потом вставьте их в предложения.

а) влюбляться/влюбиться	в) полюбить
б) любить	г) нравиться/понравиться

1. Ива́н Ду́бов — большой поклонник женской красоты и постоянно в кого-нибудь ... .

2. Увидев атлетичного Пе́тю на пляже, Ма́ша сразу же ... в него.

3. Мои соседи, пожилая пара, живут как кошка с собакой[1], они давно уже не ... друг друга.

_____
[1] Жить как кошка с собакой — *разг.* о часто ссо́рящихся близких людях.

4. Он ... Тама́ру с первого взгляда.

5. Он ... жить в деревне, где у него был маленький домик на берегу речки.

6. Хотя Ви́ка очень ... Никола́ю, но ... её он так и не смог.

7. Всё в нём ей ... : и задумчивые глаза, и серьёзное выражение тонкого лица, и неспешная манера говорить, и походка. С каждым днём Да́рья Дми́триевна чувствовала, что ... его всё больше.

8. А.С. Пушкин постоянно в кого-нибудь ... , за что и получил репутацию Дон Жуа́на.

Б) А теперь поместите в подходящий контекст следующие прилагательные и причастия:

а) влюблённый	**г) любящий**
б) влюблён	**д) любимый**
в) влюбчивый	

1. О́ленька просто ... в своего учителя музыки.

2. Вечером городской парк был пуст, только ... прохаживались в обни́мку по аллеям, выбирая самые тёмные, или сидели парочками на скамейках.

3. Отец, безумно ... свою дочь, боялся отпускать её даже в гости к школьной подруге, которая жила в соседнем подъезде.

4. Ах, это и есть твой ... артист, о котором ты мне все уши прожужжа́ла? М-да[1]... Прямо голливу́дская звезда.

5. На ... людей абсолютно нельзя рассчитывать, ведь они постоянно теряют голову, забывая обо всём на свете.

УМЕРЕТЬ
ПОГИБНУТЬ
СКОНЧАТЬСЯ
СДОХНУТЬ
ПОКОНЧИТЬ С СОБОЙ

Герои нашего фильма уходят из жизни. Рассказывая об их трагедии, избегайте ошибок в использовании глаголов *умереть, погибнуть, скончаться, сдохнуть* **и словосочетания** *покончить с собой*.

 40

ЗАДАНИЕ: Найдите определения этих глаголов и словосочетания в словаре и вставьте их в предложения сообразно смыслу.

1. После продолжительной болезни ... известный советский писатель Круто-ло́бов.

2. Лев Никола́евич Толсто́й ... в 1910 году.

3. Алекса́ндр Пу́шкин и Михаи́л Ле́рмонтов умерли не своей смертью, а ... на дуэли.

4. Влади́мир Маяко́вский и Серге́й Есе́нин были самоуби́йцами, первый ... , застрелившись, а второй — повесившись.

5. Кобыла барина была стара, ничего уже не видела, для работ её не использовали, но и забивать не хотели. Не прошло и года после смерти хозяина, как она ... .

---

[1] М-да — *меж.*, обычно выражающее сожаление или сомнение.

6. Моя бабушка ... давно, я её почти не знала, а дедушка, наоборот, жил долго, ничем и никогда не болея, и тихо ... в прошлом году.

7. Все восемь братьев моего деда ... на фронте в первые же месяцы Отечественной войны.

8. Попав в страшную автокатастрофу, девочка ... на месте, а мать ... уже в больнице, повергнув главу семьи в безысходное горе[1], от которого он так и не смог оправиться до конца своих дней.

9. Трагически прерывается и жизнь Мити: он ... , перерезав себе вены.

10. Жéнечка поехала в деревню на несколько дней, забыв о своих аквариумных рыбках. Каково же было потрясение девочки, когда, вернувшись, она увидела, что рыбки ... от голода. Пришлось покупать новых.

ГРАММАТИКА

ПОЛКАФЕДРЫ ВЫГНАЛИ

🗝 41

ЗАДАНИЕ: Вспомните и объясните, передаче какой идеи служат конструкции с выделенными глаголами. Почему таких конструкций оказалось в диалогах фильма довольно много? О чём идёт речь, когда собеседники употребляют такие конструкции?

1. У нас снова была чистка. Полкафедры **выгнали**. ...Меня не **тронули**.

2. Опять учения **проводят**. ...Уходите, уходите, **заберут**.

3. Опять шланг **наденут**.

4. Тебя на родину **пустили** не для того, чтобы ты гнёздышко своё мещанское, плохое вил.

5. Ты сам сюда приехал или тебя **заставили**?

6. — С твоей помощью их **похищали, привозили** сюда и тут **расстреливали**...
   <...>
   — Уж кто-то, а вы-то знаете, что меня **заставили**.
   — Да кто же тебя заставил-то, ангел ты мой? ...Тебя **купили**. Пóшло **купили**: за франки.
   — ...Я просто сюда рвался. Вот в этот дом. Мне **обещали**, а я, дурак, поверил. ...Только потом **обманули** — и ВСЁ **отняли**.

7. Надь, а ты скажи, почему меня всё время **обижают** в этом доме?

8. А зачем тебя раньше **прислали**?

КТО-КТО, А ВЫ-ТО ЗНАЕТЕ

Обратите внимание на конструкцию, с помощью которой передаётся в диалоге *отсутствие сомнения*:

Котов: ...Что ж ты в своей сказке-то не рассказал, что с двадцать третьего года завербован ОГПУ как тайный агент...

<...>

Митя: Сергей Петрович, уж кто-кто, а вы-то знаете, что меня заставили.

---

[1] В безысхóдное горе повéргнуть (кого?) — *высок., поэтич.* о сильно и постоянно страдающем человеке.

42 ЗАДАНИЕ: А теперь соедините реплики из двух колонок, чтобы получились мини-диалоги. Проследите за конструкцией, выражающей *отсутствие сомнения*.

Так хочется какую-нибудь пьесу Остро́вского посмотреть. Вот только не знаю, достану ли билеты.	1		а	Не стоит беспокоиться. Уж **кому-кому**, а тебе с твоим-то дипломом быстро работу предложат.
Через полгода выпускные экзамены, диплом в кармане. А где работу искать, не знаю.	2		б	Уж **кто-кто**, но ты-то знаешь, что я был к нему совершенно не готов.
Беспокоюсь, как там мой мальчик без меня. Всё-таки он впервые куда-то едет один.	3		в	Уж **кого-кого**, а Страви́нского я всегда с удовольствием слушаю. Пойдём непременно.
Почему ты на зачёт не явился?	4		г	Уж **где-где**, а в Пи́тере с фарфором всегда хорошо было.
Слыхала, в конце месяца «Жар-птицу» Страви́нского в концертном исполнении в опере дают? Сходим?	5		д	Уж **на что на что**, а на Островского всегда билеты есть. Его пьесы идут во многих театрах.
Ума не приложу, где мне приличный фарфоровый сервиз купить — ты ведь знаешь: у Жа́нны через месяц свадьба.	6		е	Вы, матери, все одинаковы! Уж **о ком о ком**, а о твоём сыне нечего беспокоиться: у него голова есть на плечах[1].

43 ЗАДАНИЕ: Поучаствуйте в диалогах, используя конструкции из предыдущего задания.

1. — Мои[2] поехали компьютер новый покупать. Не знаю, справятся ли.
   — ...

2. — Вот уже месяц прошёл, как кафедра послала заявку в Европе́йских фонд поддержки молодых исследователей, а ответа всё нет.
   — ...

3. — Ума не приложу[3], как нам удастся роль Филиппа записать: он ведь француз, значит, француза надо приглашать говорить по-русски. Справится ли кто-то из студентов?
   — ...

4. — У шефа опять новая секретарша, совсем молоденькая. Сомневаюсь, что она поладит с нашими интриганками[4].
   — Что за глупости ты говоришь?! ...

---

[1] Голова на плеча́х есть (у кого) — *разг., экспрес.* об умном, способном человеке.

[2] Мой — *разг.* мои родственники.

[3] Ума́ не приложу́ — *разг., экспрес.* не могу понять, сообразить.

[4] Интрига́нка — *разг.* о женщине, находящей удовольствие в создании конфликтных ситуаций (обычно по месту работы).

ФРАЗЕОЛОГИЯ

Я ТЕБЯ ЗНАТЬ НЕ ЗНАЛ.

В одной из сцен фильма Котов, убеждая Митю в том, что он не знал о его существовании, произносит такую фразу:

- *Я тебя знать не знал, слыхать про тебя ничего не слышал.*

В эту группу входят следующие фразеологизмы, которые могут иметь и форму настоящего времени.

- знать не знаю; знать не знал;
- слышать (слыхать) не слышал (не слыхал); слышать не слышу;
- видеть (видать) не видел (не видал); видеть не вижу;
- мечтать не мечтал; мечтать не мечтаю

ЗАДАНИЕ: Используя данные фразеологизмы, возразите в ответ на следующие реплики.

1. Почему у нас в советское время так мало писали о русских эмигрантах?

2. Где мой ключ? Это ты опять его взял?

3. Что ты думаешь о новой постановке «Щелку́нчика» в Марии́нке с декорациями Шемя́кина?

4. Сегодня открывается выставка новых работ Оска́ра Ра́бина. Тебе нравятся его картины?

5. Говорят, тебя пригласили танцевать Одетту в «Лебедином озере»[1]? Поздравляю! Это мечта любой балерины.

ФИЛЬМ

Маруся, Митя и Сергей Котов составляют классический любовный треугольник с мужчинами-соперниками и женщиной, которой приходится делать выбор.

ЗАДАНИЕ: Поговорим об отношениях, связывающих главных героев.

1. Кого любит Мару́ся: Ми́тю или Ко́това? А может быть, их обоих? Почему Маруся вышла замуж за Котова?

2. Что мы узнаём об истории отношений Ми́ти и Мару́си (вспомните следующие фрагменты фильма: реакция Мару́си на появление Ми́ти на даче; их разговор на пляже и в ивовых зарослях; сказка Ми́ти).

3. Есть ли семья у Ми́ти? Почему Ми́тя сначала солгал, что у него жена и трое детей, а потом (в разговоре с Ки́риком) признался, что это неправда? Как вы думаете, почему так сложилась личная жизнь Ми́ти?

---

[1] «Лебеди́ное озеро» — балет на музыку П. Чайковского.

4. Что мы узнаём об истории знакомства Мару́си и Ко́това?

5. Как относится Ко́тов к жене и дочке?

6. Что чувствует Ко́тов, слушая Митину сказку?

7. Когда и при каких обстоятельствах познакомились Ми́тя и Ко́тов? Было ли им что-то известно друг о друге до встречи на даче?

8. Какова цель появления Ми́ти на даче?

9. Почему Ми́тя сообщает Ко́тову об аресте? Имел ли он право это делать? Почему Ми́тя так поступает?

10. Испугался ли Ко́тов предстоящего ареста? Реально ли он оценивает угрозу ареста? А как видится та же ситуация Ми́те?

11. Есть ли среди героев нашего любовного треугольника действительно счастливые люди?

СТАРАЯ ИНТЕЛЛИГЕНЦИЯ И НОВАЯ ЖИЗНЬ

46

ЗАДАНИЕ: Поговорим об обитателях дачи.

1. Кому принадлежит дача? Кто на ней живёт?

2. К какой социальной группе относятся эти люди? Кто они по профессии? Для какого круга людей характерны подобный стиль жизни и такие бытовые традиции?

3. Одинаково ли сложились их судьбы после революции? Что у каждого из них в настоящем? Приспосо́бились ли они к правилам новой жизни?

4. Что испытывают Мару́сины родственники, вспоминая свою прежнюю жизнь? Как к их ностальги́и относятся Ко́тов и Ми́тя?

5. Близок ли Ми́тя обитателям дачи? Чем это можно подтвердить?

6. А Ко́тов? Какие моменты фильма позволяют нам судить об этом?

ЗАКЛЮЧИТЕЛЬНОЕ ДОМАШНЕЕ ЗАДАНИЕ

47

Подготовьтесь к заключительному занятию:

а) составьте письменный портрет (описание) героя фильма, образ которого вам показался интереснее других;

б) продумайте, какие вопросы вы могли бы предложить к обсуждению в заключительной беседе на тему «Каким должно быть кино сегодня?»;

в) если вы питаете особый интерес к русскому кино и знакомы с творчеством Никиты Михалкова и Олега Меньшикова, возьмите такие темы для докладов (не более десяти минут, две страницы):

• *Актёр Оле́г Ме́ньшиков в трёх фильмах, появившихся в мировом прока́те («Утомлённые солнцем», «Сиби́рский цирю́льник», «Восток — Запад»);*

• *Ники́та Михалко́в — выдающийся киномастер современности.*

ДОПОЛНИТЕЛЬНЫЙ ТЕКСТ 1

В конце фильма все его герои расстаются навсегда. О вечной разлуке и популярное танго тридцатых годов.

УТОМЛЁННОЕ СОЛНЦЕ
слова И. Áльвека, музыка Е. Петерсбýргского

     H7   Em   Am
Утомлённое солнце / Нежно с морем прощалось,
     Am   H7   Em   H7
В этот час ты призналась, / Что нет любви.
     H7   Em   Am
Мне немного взгрустнýлось / Без тоски, без печали.
     Am   H7   Em H7Em
В этот час прозвучали / Слова твои.

     E7   Am
Расстаёмся, я не в силах злиться,
     D7   G   H7
Виноваты в этом ты и я.
     H7   Em   Am
Утомлённое солнце / Нежно с морем прощалось,
     Am   H7   Em H7 Em
В этот час ты призналась, / Что нет любви.

ДОПОЛНИТЕЛЬНЫЙ ТЕКСТ 2

Тем, кто особенно интересуется биографией и творчеством Н. Михалкова, предлагаем следующую статью, которую мы нашли в журнале «Профиль» (20 июля 1998 г. № 27; оригинальное название материала — «Неоконченная пьеса для олигархического пианино»[1]).

БИОГРАФИЯ НИКИТЫ МИХАЛКОВА

Публичный успех знаменитого Никúты Михалкóва прямо пропорционáлен ненависти к нему со стороны коллег. При этом Михалкóв не знает компромúссов: либо ему подчиняются, либо становятся врагами. И врагов из года в год прибывает.

Никúта Сергéевич Михалкóв родился 21 октября 1945 года в знаменитой московской семье. Отец, Сергéй Михалкóв, детский писатель, потóмственный дворянúн, к тому времени имел две Стáлинские премии[2], мать, Натáлья Кончалóвская, переводчица, была дочерью художника Петрá Кончалóвского и внучкой живопúсца Васúлия Сýрикова.

До четвёртого класса Никúта был прилéжным учеником спецшкóлы[3], но после восьмого ввиду своей абсолютной не-

---

[1] Название статьи является аллюзией к названию известного фильма Н. Михалкова «Неоконченная пьеса для механического пианино».

[2] Стáлинская прéмия — высшая государственная премия СССР в период правления И. Сталина.

[3] Спецшкóла — *сокр. от специальная школа* (здесь: учебное заведение для одарённых детей со специальными углублёнными программами по ряду предметов).

Л.Ю. Скороходов, О.В. Хорохордина. ОКНО В РОССИЮ — 1

УРОК 4

успешности в точных дисциплинах[1] был переведён в обычную.

В кино начал сниматься в 14 лет. В 18 лет сыграл одну из главных ролей в фильме Гео́ргия Дане́лия «Я шагаю по Москве» и спел там доны́не популярную одноимённую песню. После чего юный Михалко́в сразу сделался всенаро́дно люби́мым[2] и очень известным.

До 21 года он успел жениться на Анастаси́и Верти́нской, дочери знаменитого артиста Алекса́ндра Верти́нского, поступить в Щу́кинское театральное училище, родить сына Степа́на, развестись с жено́й и вылететь из «Щу́ки»[3] за нарушение дисциплины. Дело в том, что студентам не разрешалось сниматься в кино, а Михалко́в это запрещение игнори́ровал. И он перевёлся на 2-й курс режиссёрского факультета ВГИКа[3] в мастерску́ю[4] Михаи́ла Ро́мма — там же за восемь лет до него учился его старший брат Андре́й Кончало́вский.

Вообще, старший брат оказал на Михалко́ва-младшего не просто решающее влияние — он, как поезд, прокатился по неокре́пшей душе Ники́ты, и иногда кажется, что тот до сих пор пытается восстановиться после нае́зда.

В детские годы Ники́та стоял «на ата́се»[5], когда брат дома занимался любовью со своими подружками. Однажды зимой Андре́й вообще забыл, что отправил брата дежурить на улице, пообещав, когда все закончится, за ним выйти. Когда старший брат всё же прибежал к назначенному месту, то нашёл Ники́ту спящим в телефонной будке.

Зато, повзрослев, Михалко́в-младший просто из ко́жи вон начал лезть[6], чтобы самому себе доказать, что он не тварь дрожа́щая[7], а тоже право имеет. Иногда кажется, будто все его поступки — попытка сделать абсолютно противоположное тому, что делает старший брат. И не только в кино.

Например, Андре́й Кончало́вский с младых ногте́й[8] мечтал из Советского Союза уехать — а Ники́та Михалко́в на каждом шагу повторяет, что надо любить родину.

Кончаловский, кажется, сделал вторую профессию из своих бесчи́сленных любо́вей и жени́тьб. Наверное, в пи́ку[9] ему Михалко́в вот уже четверть века живёт со своей второй женой, Татья́ной, и вырастил троих детей.

Может быть, не случайно Ники́та Серге́евич вывел родного брата в образе немца Што́льца — энергичного, делового, но, в общем, не очень симпатичного типа, куда менее приятного, чем

---

[1] Точные дисциплины — общее название физико-математических и технических дисциплин.

[2] Всенаро́дно люби́мый — *публиц., совет.* о пользующемся любовью всего народа.

[3] «Щу́ка» — *жарг.* Высшее театральное училище им. Щукина (г. Москва).

[4] ВГИК — *аббр.* Высший государственный институт кинематографии.

[5] На ата́се стоять — *жарг.* заниматься наблюдением, чтобы предупредить товарища в случае опасности.

[6] Лезть из ко́жи вон — *разг., экспрес.* очень стараться.

[7] Тварь дрожа́щая — о слабом бесправном человеке (цитата из романа Ф.М. Достоевского «Преступление и наказание»): «Тварь ли я дрожащая или право имею [преступать закон]».

[8] С млады́х ногте́й — *высок.* с самого юного возраста.

[9] В пи́ку (кому) — *разг.* назло кому-либо.

ду́шка[1], лентяй и сибари́т Обломов (фильм «Несколько дней из жизни И.И. Обло́мова»).

А в те далёкие годы, в начале 70-х, Ники́та Серге́евич себя из-под брата и семьи вы́дернул[2], устроил себе нечто вроде инициации — ушёл в армию. И оказался на Камча́тке. На флоте Михалко́в-младший оттруби́л[3] три года и даже совершил 117-дневный поход по Камча́тке на собаках. Говорят, после этого во всех московских военкома́тах[4] молодым артистам, которых держали за хлю́пиков[5] и невро́тиков, Ники́ту Михалко́ва начали ставить в пример: он-то вон какой, а вы чем хуже?

Демобилизова́вшись, Михалко́в женился во второй раз — на манеке́нщице Татья́не Соловьёвой, с которой познакомился ещё до армии.

Вот как она сама описывала их второе свидание: «С Ники́той мы познакомились в Доме кино. Свою активность он проявил сразу, пригласив меня на следующий день в ресторан. На свидание меня собирали в Доме моделей: гримирова́ли, рисовали какие-то фиоле́товые те́ни, по-вурдала́цки красный рот. На голове соорудили бабе́тту[6]. И когда я подошла вечером в таком виде к Дому кино, Ники́та буквально был в шо́ке. Он молча взял меня за шки́рку[7], в туалетной комнате засунул под кран и только после этого повёл в ресторан. Такой, с белёсыми ресни́цами и ещё не высохшей на лице водой, я и сидела за столиком, боясь что-либо сказать».

Скорее всего, первая супруга Михалко́ва, Анастаси́я Верти́нская, которая сегодня очень сдержанно о нём отзывается, такого насилия над собой никогда бы не потерпела.

В 1974 году на экраны страны вышел первый фильм Михалко́ва-режиссёра «Свой среди чужих, чужой среди своих». Для советского кинематографа он получился нова́торским, хотя сегодня понятно, что вся новаторская стилистика была сли́зана[8] с американских ве́стернов 70-х годов, к которым Михалко́в, в отличие от кинозрителей, имел доступ.

Следующие десять лет Ники́та Серге́евич работал, как отла́женный конвейер. Каждый год он выпускал по фильму: «Раба любви» (1976), «Неоко́нченная пьеса для механического пианино» (1977), «Пять вечеров» (1979), «Несколько дней из жизни И.И. Обло́мова» (1980), «Родня́» (1982), «Без свидетелей» (1983).

Параллельно он снимался как актёр. Его звёздные роли — в фильмах Эльда́ра Ряза́нова «Вокзал для двоих» (1983) и «Же́стокий романс» (1984).

О том, что Михалко́в — гениальный организатор киносъё́мок, пишут давно и много. Для него не существует технических

---

[1] Душка — *разг., уменьшит.-ласк.* о приятном человеке.

[2] Вы́дернуть (кого, из-под кого) — *разг., экспрес.* освободиться от влияния кого-либо.

[3] Оттруби́ть — *разг.* провести положенный срок на службе или за работой.

[4] Военкомат — *сокр.* от *военный комиссариат*.

[5] Хлю́пик — *разг., неодобр.* о слабом, избалованном человеке.

[6] Бабе́тта — высокая женская причёска, модная в 1960-е годы.

[7] За шки́рку (взять) — *разг.* заставить кого-то перемещаться или действовать против его воли.

[8] Слиза́ть — *разг.* скопировать.

сложностей. Когда глубокой осенью он снимает лето, то берёзовую рощу «заклéивают» зелёными листóчками. Когда в апреле Михалкóв снимает зиму, несколько московских заводов, производящих мороженое, привозят ему на съёмочную площадку тонны искусственного льда.

Для актёров у Михалкóва существует специальный репетиционный период, как в театре, — чтобы вжилúсь в роль. Для всей съёмочной группы — футбол, чтобы выˊплеснуть отрицательную энергию, накóпленную в течение рабочего дня. Он любит заботиться о своем окружении. Рассказывают, что в 1987 году (а времена тогда в России были тяжёлые) он привёз из Италии, со съёмок «Очéй чёрных», несколько чемоданов шмóток* для товарищей и коллег. Причем Михалкóв помнил размеры даже детей своих сотрудников.

Тем не менее его публичный успех прямо пропорционален ненависти собратьев по цéху[1]. И это не зависть. Михалкóв — конфликтный человек. Он не знает компромиссов: либо ты ему подчиняˊешься и становишься его рабом, либо становишься врагом. И число врагов из года в год растёт.

Кинорежиссёр Ивáн Дыховúчный в книге Фёдора Раззакóва «Досьé на звёзд» рассказывает: «Мы с Никúтой произошли из одного мира. С пятú лет нас пытались подружить. Но он к этому не способен. Это человек, который воспринимает людей как вещи, как свой фон. Он дрессирóвщик, а не друг».

А единственный близкий друг Михалкóва Алексáндр Адабашьяˊн, сценарист, в том числе фильма «Очи чёрные», после съёмок этого фильма рассóрился с Никúтой Сергéевичем вдрызг. Причина по Адабашьяˊну: Михалкóв — диктатор, нетерпим к чужому мнению, не умеет проигрывать и все свои неудачи пытается преподнести как победы. «Это вообще очень советская черта, очень большевúстская», — говорит Адабашьяˊн.

С середины 80-х Никúта Михалкóв стал воистину легендарной фигурой отечественной культуры. Он кумир миллионов советских женщин. Экранный его образ отличает крáйняя муˊжественность, а именно такого сильного мужского начала обществу времён застóя[2] не хватало.

Но перестрóечного[3] лидера из Никúты Сергéевича не получилось. В 1986 году на 5-м, «демократическом» съезде Союза кинематографúстов он выступил с принципиальной, гневной речью в защиту Сергéя Бондарчукá. Это оказалось настолько несозвуˊчно времени, что от Михалкова все отвернулись, он рассорился с Союзом кинематографистов и уехал в Италию снимать фильм «Очи чёрные» с Марчéлло Мастрояˊни.

Во время съёмок у него в Москве родилась дочь Нáдя — четвёртый и самый любимый ребёнок.

Хотя на Западе фильм «Очи чёрные» был принят более чем тепло (его купили почти 40 стран, а Мастрояˊни получил за роль

---

[1] Собрáтья по цéху — *публиц., высок.* о коллегах.

[2] Застóй — название периода 1970-х — начала 1980-х годов в СССР, для которого характерна стагнация во всех сферах социальной и экономической жизни.

[3] Перестрóечный — времён перестройки в СССР при М. Горбачёве.

приз Ка́ннского кинофестиваля), в России даже поклонники Михалко́ва были разочарованы, посчитав «Очи» матрёшкой из «Русского сувени́ра» — экзотикой для иностранцев.

В конце 80-х Михалко́в создал продю́серское объединение «ТриТэ», которое успешно работает и по сей день.

В 1993 году его новый фильм «Урга́» признали лучшим европейским фильмом года: он получил награду Венециа́нского фестиваля. В том же году Михалко́в приступил к «Утомлённым солнцем». Эта картина получила американский «О́скар» как лучший иностранный фильм и не получила пальмовую ветвь Каннского фестиваля. В Канне тогда победил Кве́нтин Таранти́но с «Кримина́льным чти́вом». По этому поводу Михалко́в впал в сдержанное бешенство[1] и пообещал отныне не давать Ка́ннскому фестивалю ни одного своего фильма.

Последняя работа Ники́ты Михалко́ва, фильм «Сибирский цирю́льник», дал высокие сборы. Это самый дорогой кинопрое́кт в Европе: на него потра́чено 40 млн долларов.

А Михалко́в тем временем весь в стремлении к новому. Недавно он возглавил Союз кинематографистов РФ и получил карт-бланш[2] на новую экономическую политику внутри кинематографического сообщества.

ДОПОЛНИТЕЛЬНЫЙ ТЕКСТ 3

А вот анекдот, иллюстрирующий, к какой трагедии может привести разница в кинопредпочтениях.

Летит Змей Горы́ныч, трехголо́вый, конечно, и встречает Илью́ Му́ромца.

Первая голова:

— Илю́ша, будь другом, отруби мне одну голову!

Илья́ Му́ромец:

— Ты чего?! Крыша поехала?

Вторая голова:

— Да нет... Собрались тут в кино слетать. Две головы хотят Сталло́не смотреть, а третья: «Тарко́вского, Тарко́вского!» Ду́ра очка́стая!

Комментарий:

Змей Горы́ныч — трёхголовый крылатый змей, символ зла в русских сказках;

Илья́ Му́ромец — богатырь в русских сказках, победитель Змея Горыныча;

Илю́ша — разг., уменьшит.-ласкательное от *Илья*;

крыша поехала — разг. сошёл с ума;

Сильве́стр Сталло́не — звезда американского кино;

Андре́й Тарко́вский — выдающийся советский кинорежиссёр, автор интеллектуальных фильмов;

очка́стая — разг., груб. о человеке, носящем очки; очки ассоциируются у русских с высоким интеллектуальным уровнем.

---

[1] Впасть в бе́шенство — *разг.* сильно разозлиться.
[2] Получи́ть карт-бланш — *публиц.* получить свободу действия.

КЛЮЧИ

УРОК 1

2   *Даётся один из возможных вариантов ответа.*
1. 1е (разг.); 2д (арго); 3г; 4в (разг.); 5б; 6а
2. 1б; 2д; 3а; 4ж; 5в (разг.); 6г; 7е
3. 1б (разг.); 2е (публиц.); 3г (разг.); 4д (разг.); 5в; 6а
4. 1б (разг.); 2е (разг.); 3ж (разг.); 4д; 5г (разг.); 6в (разг.); 7а (разг.)
5. 1б (разг.); 2а (разг.); 3ж; 4в; 5г; 6д; 7е (разг.)
6. 1ж; 2е (разг.); 3г (разг.); 4а (разг.); 5в (разг.); 6д (арго); 7б (разг.)
7. 1г (разг.); 2е (разг.); 3а; 4б (разг.); 5ж (разг.); 6в (арго); 7д

4   1. родителей; стариками; 2. своего польского друга; 3. перед дорогим гостем; 4. мужу разводом; 5. его на работу; 6. на трудную жизнь; 7. На что; 8. безработным; на пособие по безработице

5   Префикс *со-* придаёт существительным, образованным с его помощью, значение совместности действия людей, названных данным существительным.
1. сокурсницу; 2. соавтор; 3. — современники; 4. наших соотечественников; 5. интересных собеседников; 6. соучастники этого преступления

6   1. хорошего; 2. порядочных; 3. хорошим; 4. хорошей; 5. порядочный

7   1б; 2г; 3в; 4д; 5а

9   ему не разрешили / не позволили закончить проект;
1. чтобы дать Даше выспаться. 2. так как преподаватель хотел дать студентам подумать. 3. чтобы дать проехать машине скорой помощи. 4. чтобы дать Майклу исправить ошибку. 5. чтобы попросить её дать ему выйти. 6. чтобы молодой человек дал ей поставить на стол поднос.

10   1А, 1Б: части предложения соединены союзом *но*; *выпал* — СВ, в 1А он указывает на то, что действие достигло результата; 1Б: частица *было* указывает на то, что действие не достигает результата (котёнок почти выпал из окна).
2А, 2Б: части предложения соединены союзом *да*; *поймал* — СВ, в 2А он указывает на то, что действие достигло результата; 2Б: частица *было* указывает на то, что результат будет аннулирован.
3А, 3Б: части предложения соединены союзом *да*; *удалось* — СВ, в 3А он указывает на то, что результат достигнут; 3Б: частица *было* указывает на то, что результат будет аннулирован.
4А, 4Б: части предложения соединены союзом *но*; *хотел* — НСВ, в 4А он указывает на то, что состояние желания имело место; 4Б: частица *было* указывает на то, что состояние желания было аннулировано и действие не достигло результата.
5А, 5Б: части предложения соединены союзом *хотя*; *решила* — СВ, в 5А он указывает на то, что результат достигнут; 5Б: решение было аннулировано.
Таким образом, частица *было* сигнализирует, что действие, названное глаголом, либо не достигает результата, либо результат будет аннулирован.

11   1. С частицей *было* действие не достигает результата: *не захлопнул*. 2. Частица *было* указывает на то, что результат будет аннулирован: *студент продолжит выступление, чтобы сказать слова благодарности научному руководителю*. 3. Частица *было* указывает на то, что результат аннулирован, желание исчезло: *изменил решение, расхотел, не пожал руку*. 4. Частица *было* указывает на то, что достигнутый результат был аннулирован: *Лиза вновь легла*. 5. С частицей *было* действие не достигает результата: *Иван не сделал предложения*. 6. Частица *было* указывает на то, что результат был аннулирован: *купил, а потом продал*. 7. Частица *было* указывает на то, что результат не достигнут: *депутат не взял слова.* 8. Частица *было* указывает на то, что результат аннулирован, идея исчезла: *переводчик не стал проверять орфографию.* 9. С частицей *было* действие не достигает результата: *заказ не принят.*

13 1б; 2г; 3а; 4д; 5в

15 *Что* можно заменить вопросительным словом *почему.*
1. Что он опаздывает? 2. Что тут окна открыты? 3. Что вы скучаете? 4. Что авиадиспетчеры бастуют? 5. Что эта женщина на тебя так смотрит?

16 1. Что ты такой нарядный? 2. Что в этом месяце зарплату задерживают? 3. Что тебя так долго на занятиях не было? 4. Что цены постоянно повышаются? 5. Что министра сняли с поста? 6. Что картины в музее нет / не было?

17 Грамматическая форма *ходи* — императив 2-го лица единственного числа НСВ. Конструкция начинается словом *хоть.* Синонимы: *Наверное, придётся ходить пешком; Буду/будешь/будет/будем/будете/будут вынужден(-а/-ы) ходить пешком.* Синонимы показывают, что данная конструкция выражает вынужденное действие субъекта любого лица, рода, числа.

18 1. отключай; 2. не выходи; 3. пиши; 4. не спрашивай; 5. продавай

19 Императивы СВ *заплати, накорми, купи* стоят в форме 2-го лица единственного числа при грамматическом субъекте *она* 3-го лица единственного числа, следовательно, сказуемое в данной конструкции всегда имеет указанную форму и с формой субъекта не согласуется. Синонимы: *Она должна (обязана) / ей нужно (надо, необходимо) и за квартиру заплатить, и семью накормить, и нам с сестрой всё для учёбы купить.*

20 1. прибери, купи, подготовься; 2. собери, поменяй, получи, зарезервируй; 3. разбери, упакуй, стащи, погрузи; 4. закажи, надень, повяжи

21 Субъект *мне* при инфинитиве стоит в дательном падеже. Синонимы: *Я ещё должен учиться два года. Мне ещё надо (нужно) / необходимо учиться два года.*

23 Субъект *тебе* при инфинитиве стоит в дательном падеже, глагол НСВ. Фраза произносится с вопросительной интонацией. Слово *что* здесь означает *зачем.* Синонимы: *Не нужно/бесполезно/бессмысленно тебе объяснять.*

26

Уровень	Стилистически маркированные элементы	
	нет	есть
Фонетический		*Пал Иваныч* (разг.)
Словообразовательный		*дачка* (суффикс -к- разг.), *домище* (суффикс -ищ- разг.)
Морфологический		*врачихин* (от разг. формы *врачиха* для названия профессии женщины-врача)
Лексико-семантический		*отгрохал* (разг.); *выложил деньги* (разг. фразеологизм); *Мне б его проблемы!* (фразеологизированный ответ, иронич., разг.)
Синтаксический		*муж-то* (разг., -то добавляется к словам для выделения их во фразе); *за дачку эту, деньги приличные* (разговорный порядок слов); *магистраль скоростная прокладывется* (разговорный порядок слов)

29 1. Да так (в); 2. Да нет же (б); 3. Так вот оно что (а); 4. Надо же! (г)

30 1. Так вот оно что / Надо же!; 2. Надо же! / Да нет же!; 3. Надо же! / Так вот оно что!; 4. Да так; 5. Надо же!; 6. Да нет же!; 7. Так вот оно что!; 8. Надо же!

36 1. нищие = люди, живущие за чертой бедности; 2. бедные = малоимущие, люди со скромными / низкими доходами, люди с низким уровнем обеспеченности, бедняки, люди скромного / низкого достатка; 3. люди среднего достатка = середняки; 4. обеспеченные люди = люди с приличными доходами, люди с довольно высокими доходами, средний класс, состоятельные люди; 5. богатые = нувориши, богачи, новые русские

37 *Даётся один из возможных вариантов ответа.* 1. малоимущих; 2. нуворишей; 3. живущей за чертой бедности семьи; 4. с приличными доходами; 5. обеспеченные люди; 6. новых русских; 7. бедными; 8. средний класс, богачей, бедняков

45 1. проекта бюджета на будущий год; 2. между думскими депутатами и членами правительства; депутатской неприкосновенностью; 3. по данным статистики; 4. в том; эффективными средствами; 5. на нужды; 6. в истории; к величине; 7. на двадцать процентов; на тридцать процентов; 8. с тем же периодом прошлого года; 9. из кризиса; 10. в ходе; разрушением

46 *Даётся один из возможных вариантов ответа.* 1. заплатить; 2. выплачиваются; 3. выплачивают; 4. оплатил; 5. расплатиться; 6. оплачиваются

47 1. зарплату; 2. оплата; 3. выплатой; 4. плата; 5. расплата; 6. платежи

УРОК 2

2 1. 1б; 2д (разг.); 3а (разг.); 4в; 5г (разг.)
2. 1в (разг.); 2д (разг., пренебр.); 3а (разг.); 4б (разг.); 5г (разг.)
3. 1в (разг.); 2а (разг.); 3д (разг.); 4б (книж.); 5г (публиц.)
4. 1г (разг.); 2в (разг.); 3а (разг.); 4д (разг.); 5б (разг.)
5. 1г; 2а (разг.); 3б (публиц.); 4в (разг., пренебр.)
6. 1г (разг.); 2а (разг.); 3б (разг.); 4е; 5в (разг.); 6д (разг.)
7. 1г (арго, пренебр.); 2в; 3а (разг.); 4д (арго); 5е (разг.); 6б (публиц.)
8. 1г; 2б; 3в; 4а (разг.)

4 1. Пушкину; в Питере на площади Искусств; скульптора Аникушина; 2. её вам; за неё головой; 3. от идеалов; 4. Янтарной комнаты; из Екатерининского дворца; 5. с чем; 6. Петра Великого; 7. под открытым небом; 8. дореволюционной скульптуре; 9. памятников; коммунистическим вождям; на том берегу; филиала; 10. в том числе; 11. у нас; к холодной абстракции; 12. в аттракцион; для иностранных туристов

5 Префикс *пере-* в данных глаголах имеет значение *совершать одно и то же действие поочерёдно с каждым объектом из группы.*

6 1. пока не перепробовал всё; 2. пересмотрел / перелистал весь журнал; 3. переложил все мои вещи, перемял их и перепачкал; 4. успел переслушать

7 1. Мариинка; 2. Александринка; 3. Публичка; 4. «Маяковка»; 5. Петропавловка; 6. минералка

8 Если фамилия оканчивается, как типично русская, на *-ин, -ов, -ев*, то добавляется суффикс *-ск-(ий)*, в других случаях после твёрдой согласной добавляется *-ов-ск-(ий)*, а после мягкой согласной или гласной добавляется *-ев-ск-(ий)*.
1. рязановский; 2. пелевинский; 3. шемякинский; 4. медведевском

9　там + ошн-ий
свой + ск-ий, завтра + шн-ий, наш+ ен-ск-ий
1. здешний; 2. всегдашний; 3. тогдашний; 4. вчерашний; 5. сегодняшний; 6. вашенский

10　1. нездешний; 2. всегдашние; 3. тогдашнего; сегодняшним; 4. вашенских; 5. вчерашнюю

11　Слово *хулиганьё* образовано от слова *хулиган* + ь + ё и служит названием для хулиганов как социальной группы
1. мужичьё; 2. бабьё; 3. дурачьё; 4. вороньё; 5. зверьё

12　1. Зимним утром над селом кружило вороньё. 2. У Оксаны все друзья — какое-то дурачьё. 3. Опять это бабьё устроило скандал. 4. Позволь тебе заметить, что среди твоих друзей одно мужичьё. 5. Футбольные болельщики часто ведут себя как дикое зверьё.

13　Нужно вычеркнуть глаголы: 1–2. *любуюсь*, т. к. речь не идёт о зрительном восприятии; 3. *наслаждался*, т. к. речь идёт о живых существах; 4. *любовался*, 5. *любоваться*, 6. *любуемся*, т. к. речь не идёт о зрительном восприятии; 7–8. *наслаждаемся*, т. к. речь не идёт о физическом удовольствии.

14　1. восхищался совершенством; 2. наслаждалась разнообразием; 3. любовались каждым её движением; 4. просто любоваться ими; 5. наслаждаясь свежими запахами

15　1. твоих рук дело; 2. никто толком не знает; 3. всему своё время; 4. у меня идея!; тебе виднее; отвечать за это головой; 5. ты опять за своё?; у меня душа не лежит

17　1в; 2б; 3а; 4г

18

Предложение	Модель	Значение
Ты опять про этот парк?	сущ./мест. в им. п. (субъект) + *про* что? (о чём?)	речь, мысль
Мама, ты опять за своё?	сущ./мест. в им. п. (субъект) + *за* что?	начало действия
На свалку истории их.	куда? + кого?/что? (объект)	перемещение
Они сразу в драку.	кто? + *во* что?/куда?	интенсивное погружение в действие

19　1. он всё только о своём конкурсе; 2. а ты что, уже за работу; если я за перевод; 3. как она в слёзы; 4. ну, тогда надо все твои башмаки на дачу; 5. Ты куда?; и вечером в Москву по делам фирмы; 6. Давай я — за мытьё посуды, а ты — за стирку; 7. с Софи стало невозможно; я ей про работу, а она только о своём женихе бесконечно; так нет — он сразу в спор; 8. а один из омоновцев всё с ним про разные вещи; а трое других в это время на штурм — и захватили.

20　Предложения такого типа не называют точно субъект действия, а только указывают, что кто-то производит действие.
1. Книги каких авторов сейчас в Москве читают больше всего? 2. Какие русские кинофильмы с интересом смотрят в Северной Корее? 3. Какие достопримечательности Казани посещают чаще всего? 4. В каких журналах публикуют статьи об африканском искусстве? 5. Какие регионы считают экологически неблагополучными? 6. Какие учебные заведения называют гимназиями? 7. Какие русские песни особенно часто слушают в странах Восточной Европы?

21　Использование существительного в форме родительного падежа множественного числа выражает идею категорического запрета.
1. Никаких словарей! 2. Никаких поездок! 3. Никаких диссертаций! 4. Никаких антибиотиков! 5. Никаких мобильников! 6. Никаких мейлов! 7. Никаких журнальчиков!

23   Пример 1.

Уровень	Стилистически маркированные элементы	
	нет	есть
Фонетический	+	
Словообразовательный		*Анечка* — (разг.) уменьшительно-ласкательный суффикс *-ечк*; *хулиганьё* — (разг.) суффикс *-jo* служит для обозначения группы
Морфологический		*никаких парков Горького* — (разг.) множественное число в отрицательной конструкции служит для выражения категорического запрета
Лексико-семантический		*одно* — (разг.) в значении *только*; *шляется* — (груб.) в значении *ходит без дела*
Синтаксический		*парк Горького* — (разг.) вместо *парк имени Горького* *Там одно пьяное хулиганьё шляется* — порядок слов, характерный для разговорной речи

Стилистически нейтральный вариант: *Анна, я запрещаю тебе ходить в парк имени Горького, потому что там ходят только пьяные хулиганы.*

Пример 2.

Уровень	Стилистически маркированные элементы	
	нет	есть
Фонетический	+	
Словообразовательный	+	
Морфологический	+	
Лексико-семантический		*в разгар перестройки* — публиц. *ну, там* — разговорные частицы *толкать* — разг. *произносить* *крушить* — экспрес. *ломать* *совковые* — арго, пренебр. *советские*
Синтаксический		*памятники крушить, речи толкать* — экспрессивный порядок слов (нейтр.: *крушить памятники, толкать речи*)

Стилистически нейтральный вариант: *В период, когда перестройка шла наиболее интенсивно, люди ходили на митинги, чтобы произносить речи или ломать памятники.*

25   1. Вовке/ему повезёт; 2. Наталье Сергеевне / ей не повезло; 3. Ленке Поляковой / ей везёт/повезло; 4. везёт; 5. Коле/ему повезло! 6. Елене/ей не везёт / не повезло.

26   1. О чём о чём? О каком ещё «зоопарке»?; о каком же ещё? 2. Чьим-чьим? Каким ещё памятником Петру Первому в Петропавловке?; каким же ещё? 3. Чем-чем? Каким ещё Спасом?; каким же ещё? 4. Чего-чего? Какого ещё академгородка?; какого же ещё?

28   1а; 2в; 3б; 4в; 5а/г; 6г

29   *Даётся один из возможных вариантов ответа.* 1. Ладно! 2. И правда! 3. Что верно, то верно. 4. Ах да. Я видела афишу. 5. Не буду спорить, ты китаянка, тебе виднее. 6. Ладно. 7. Ах да, знаю-знаю.

30   1д; 2г; 3в; 4а; 5г; 6б

31 *Даётся один из возможных вариантов ответа.* 1. И очень жаль. / И очень жаль, что отказываешься. 2. Так нельзя!; 3. При чём здесь советское образование?; 4. Как же так?; 5. Никаких раздумий!

32 1. Насчёт устного ничего сказать не могу, а вот письменный экзамен в понедельник сдавать будем. 2. Насчёт Петровых ничего сказать не могу, а вот мы с тобой в Испанию поедем. 3. Насчёт Питера ничего сказать не могу, а в Москве в 1997 году по случаю 850-летия торжества действительно устроили небывалые. 4. Насчёт Новосибирска ничего сказать не могу, а вот о Сибири вообще иностранцы, конечно, слышали. 5. Насчёт памятников коммунистическим вождям ничего сказать не могу, а вот тело Ленина из мавзолея убрать нужно. 6. Насчёт России ничего сказать не могу, а вот во Франции в марте уже действительно всё цветёт. 7. Насчёт Петра Первого ничего сказать не могу, а вот памятник Юрию Долгорукому, основателю Москвы, в самом центре столицы стоит.

34 Именная группа: 1г; 2а; 3в; 4д; 5б. Глагольная группа: 1в; 2б; 3а; 4г.

35 *Даётся один из возможных вариантов ответа.* (1) памятников; (2) монументы; (3) находится; (4) композиций; (5) фигура; (6) стоит; (7) пьедестале; (8) скульптура; (9) барельефами; (10) бронзе; (11) плита; (12) мрамора; (13) выгравированы; (14) бюст; (15) металла; (16) памятный камень; (17) гранита; (18) высечена; (19) стела; (20) установлен; (21) облицована; (22) известняка; (23) сооружённый; (24) скульптора; (25) постамент; (26) глыб; (27) колонны; (28) установить; (29) памятный знак

38 1. Казанове; 2. Кем был заказан памятник? (= Кто заказал памятник?) / Кому был заказан памятник? (= Кто получил заказ, чтобы делать памятник?); 3. на/в другие места; 4. с московским стилем; 5. истории; 6. скорбь; 7. многочисленных туристов; 8. сказочных героев

40 1. тоже; 2. ещё; 3. тоже; 4. а ещё; 5. тоже; 6. тоже

УРОК 3

2 1. 1г (разг.); 2а (разг.); 3д (разг.); 4в (разг.); 5б
2. 1д (разг.); 2в; 3а (простореч., груб.); 4б (жарг.); 5г (разг.)
3. 1г (разг.); 2а (простореч.); 3б (разг.); 4д (разг.); 5в (разг.)
4. 1г (разг.); 2в (разг.); 3д (разг.); 4а (разг.); 5б
5. 1в; 2г; 3д; 4а (жарг.); 5б
6. 1в; 2г (разг.); 3д (разг.); 4а (разг.); 5б (разг.)
7. 1г (разг.); 2д (разг.); 3б (разг.); 4а (разг.); 5в (разг.)
8. 1б; 2в; 3г; 4д (разг.); 5а (разг.)
9. 1в; 2а (разг.); 3г (разг.); 4д; 5б
10. 1г (разг.); 2а (разг.); 3в; 4б (жарг.)

4 1. эту фирму; по знакомству; 2. Романа; обо всём; всё бы ей у него выведать; 3. от шеи; 4. вашу фирму; мне; 5. её; биография; 6. она; биографией; 7. перед кандидатом; за нескромный вопрос; от претендента; 8. перед кандидатом; за нескромный вопрос; на свой вопрос; 9. им; 10. кому; уроками; 11. за какие деньги; по кадрам; 12. за детьми; им; домашние задания; 13. на детей; 14. эсэмэски; на мобильник; в перерыве; между занятиями

5 1. профессию; 2. специальности; специалист; 3. места работы; должности; профессия/специальность; 4. должность; должность; 5. специалист; специалист; должность; должность; 6. профессия; место работы; 7. профессия; 8. должности

8 1. ладить; 2. справиться; 3. справиться; 4. справиться; 5. поладить

10 (а) стажа; (б) стажировку; (в) стажёрка; (г) стажироваться

13 1. Ты уже в курсе? 2. Я у тебя в долгу не останусь. 3. башка не варит; 4. хоть бы что; 5. Доброе слово и кошке приятно.

15 *Даётся один из возможных вариантов ответа.* 1. Какое уж там к морю! 2. Где уж не примет. 3. Куда уж машину. 4. Какое уж там самое удобное. 5. Куда уж за границей.

17 Пример 1 *Всё бы ей у меня выведать* служит для передачи идеи желания, а пример 2 *Таким бы дамочкам в ФСБ служить* — для передачи выражения пожелания (совета).
Синонимичные фразы: пример 1 *Она хотела всё у меня выведать / узнать* или *Ей хотелось всё у меня выведать / узнать*; пример 2 *Такие дамочки лучше бы в ФСБ служили* или *Таким дамочкам надо в ФСБ служить*.

19 1. Отремонтировать бы тебе квартиру за лето. 2. Пересмотреть бы (мне) фильм «Мне не больно» с Литвиной и Дюжевым. 3. Поехать бы вам за город да хоть часок по лесу побродить, а то всё в четырёх стенах сидите. 4. Посадить бы им фруктовые деревья на своей даче. 5. Сергею бы уже о подарке подумать.

21 Гипотетическое условие (а) выражается конструкцией типа: глагол в императиве 2-го лица единственного числа + субъект в грамматической форме, соответствующей конструкции: *Будь у меня стаж... = Если бы у меня был стаж...*
Отрицательное последствие этого условия (вынужденный отказ от действия (б)) выражается при помощи конструкции: глагол в сослагательном наклонении + субъект: *...стал бы я на таких условиях на них пахать = ...я НЕ стал бы на таких условиях на них пахать.*
Соблюдение порядка слов, указанного в схемах, обязательно.

22 1. Откладывай ты потихоньку деньги, стал бы ты брать банковский кредит. 2. Выучи студенты все правила наизусть, стали бы они каждый раз заглядывать в грамматические таблицы. 3. Будь у Романа возможность трудоустроить сестру, просил бы он о помощи французского друга. 4. Знай все хорошо иностранные языки, обращался бы кто-нибудь к переводчикам. 5. Купи родители мне в своё время квартиру, снимал бы я всю жизнь всякие углы у других людей. 6. Закончи докторант вовремя исследование, просил бы он разрешение на продление срока обучения в докторантуре. 7. Болтай девушка меньше по мобильнику, просила бы она постоянно у родителей денег на оплату связи. 8. Будь ребёнок способен сам справляться с домашними заданиями, искали ли бы родители для него репетитора. 9. Встань ты пораньше, спешил бы ты так на работу.

23 1. который с тобой сейчас поздоровался; 2. поэтому я на экзамен и не пришёл; 3. если погода будет хорошая; 4. Когда заказанное такси наконец-то подъехало; 5. что чаем малыш обожжётся; 6. Вы, если я вдруг опоздаю

29 1а; 2в; 3б; 4г

30 1в; 2а; 3г; 4б

41 1. на высокооплачиваемую работу; в солидную компанию; в преуспевающую фирму; 2. вас; в список; на освободившуюся должность; 3. на вакантное место; 4. к претендентам; на то или иное рабочее место; 5. с краткого знакомства / кратким знакомством; 6. в обстановке; 7. заполните; 8. потерю работы; своей самой большой неудачей; 9. со своего предыдущего места; 10. на эту должность; 11. в обратной хронологической последовательности; 12. по достоинству; 13. в нескольких направлениях / по нескольким направлениям; 14. на чём; 15. к творческой деятельности; 16. в одежде; 17. без мини-юбок, духов; 18. до религиозных и политических пристрастий; 19. за вынужденную задержку; 20. в мою личную жизнь; 21. в свою удачу

43 1. Я доработался до того, что у меня закружилась голова. 2. Он наработался на эту компанию / в этой компании, больше не хочет, теперь решил свою фирму открыть. 3. Никто не знает, когда снова заработает закрытый на ремонт бассейн. 4. Как долго ты проработал в этой компании? 5. Это основная работа или она здесь подрабатывает? 6. Сколько лет вы проработали / отраболи на прежнем месте и сколько вам там платили? 7. На сегодня всё. Я уже отработала. 8. Что-то, сынок, ты не очень-то много сегодня поработал! 9. Почему вы не доработали до семи часов, когда заканчивается ваша смена? 10. Сигнализация по неизвестным причинам не сработала, и грабителям удалось вынести из киоска по продаже мобильных телефонов практически весь товар.

44   а) Значение.

Критерии оценки	*Пробовать*	*Пытаться*	*Стараться*
1. Возможность обозначать попытку действия, нацеленную на результат.	есть	есть	есть
2. Возможность обозначать попытку как таковую, без акцентирования её результата.	есть	есть	нет
3. Возможность обозначать очень интенсивные и продолжительные усилия для осуществления попытки.	нет	есть/ нет	есть

б) Употребление.

Критерии оценки	*Пробовать*	*Пытаться*	*Стараться*
1. Возможность сочетаться с НСВ, называющим действие как таковое, без акцентирования его характера или результата.	есть	есть	нет
2. Возможность сочетаться с наречиями типа *очень, сильно*.	нет	нет	есть

42   1. пробовал/пытался; 2. старался/пытался; 3. старался; 4. пробовал/пытался/старался

50   1. С 2006 года я учусь на юридическом факультете Петербургского универститета. 2. Центр дошкольного эстетического воспитания ищет воспитателя с дипломом пединститута. 3. У россиян в старости есть право на пенсию. 4. В законе количество продуктов, которое нужно каждому человеку на год, указывают/измеряют в килограммах.

УРОК 4

2   1. 1в (разг.); 2д (разг.); 3а (разг.); 4б; 5е (неол.); 6г (разг.)
2. 1б (разг.); 2г; 3а; 4д (разг.); 5в
3. 1г (разг.); 2а; 3д (разг.); 4б; 5в (разг.)
4. 1б (разг.); 2д (разг.); 3е (разг.); 4в (разг.); 5г (разг.); 6в (разг.)
5. 1в (разг.); 2а (разг.); 3б (разг.); 4г (разг.)
6. 1е (разг., пренебр.); 2д (разг., пренебр.); 3а; 4б (разг.); 5г (книж.); 6в (разг.)
7. 1б (разг.), 2д (публиц.); 3а (разг.); 4г (разг.); 5в (разг.); 6ж; 7е

4   1. в мультиплекс; на утренний сеанс; в последний ряд; 2. в главной роли; 3. в начальники; 4. к столу; вас; 5. тому; 6. по телику; 7. ему; до того; 8. свои вкусы; никому; 9. в философских трактатах; 10. на искусство

5   существительное *эстет* → глагол *эстетствовать* (суффиксы -ств-; -ова-) → причастие *эстетствующий*
1. философствовать; 2. вдовствует; 3. учительствовать; 4. мудрствующих кинокритиков; 5. фашиствует; 6. зверствует; 7. меценатствует; 8. нищенствует
директорствовать (б), самодурствовать (а), председательствовать (б)

6   1. кинолента/кинокартина; 2. киностудии; 3. кинорежиссёр; 4. киноленты/кинокартины/кинофильмы; 5. киноленты/кинокартины; 6. киносценарий; 7. кинооператора; 8. киношедевров/

кинолент/кинофильмов/кинокартин; 9. киноактёры; 10. кинопроб; 11. киноактёр; 12. кино-актрисе; 13. киносенсацией; 14. кинозалы/кинотеатры; 15. кинозрителей; 16. кинотеатров; 17. кинопремьера; 18. киножурнал; 19. кинокритики/киноведы; 20. кинокритики/киноведы/кинозрители; 21. киномастера/кинорежиссёра; 22. киножвачке; 23. киноэкранах; 24. кинофе-стивалях/кинофорумах; 25. кинофорумов/кинофестивалей; 26. киноискусства; 27. кинопре-мию; 28. кинобизнеса/киноискусства

7   1. сказал; 2. расскажи; 3. разговаривали/беседовали/говорили; 4. расспрашивал; 5. задавал; 6. описывал; 7. объяснял; 8. разговаривали/беседовали/говорили; 9. болтать/разговаривать/беседовать/говорить; 10. сообщил/рассказал/сказал; 11. разговаривать/говорить/беседовать/болтать

8   1. успокаивала; успокоился; 2. снять; сняться; 3. отругал; поругался; 4. считает; считается; 5. отнести; относится; 6. встретила; встретиться; 7. зашевелил; зашевелились; 8. описал; опи-сывается; 9. рассказывает; рассказывается

9   1б; 2б; 3а; 4в; 5б/в; 6а; 7г; 8а; 9а; 10а

10 1. снимал; 2. пригласил; 3. снимался; 4. принёс; 5. вышел; 6. хвалили/ругали; 7. ругали/хвали-ли; 8. пользуются

11 1е (метит в актрисы); 2в; 3а; 4б; 5г; 6д (дожила до седых волос)

13 При помощи конструкций *для кого как* и *кто про что* сообщается, что какие-то люди совершa-ют несходные действия или что у разных людей разное положение дел.
    1в; 2а; 3д; 4б; 5е; 6г

14 1. кто чем; 2. кто откуда; 3. кто какие; 4. у кого когда; 5. кому кто

15 Конструкция *того и гляди* + *глагол СВ в будущем времени* (лицо и число зависят от субъекта) выражает опасение.
    1. приедут; 2. промокнем; 3. заплачет; 4. сорвёт; 5. забудешь; 6. опрокинет, обожжёт; 7. ока-жется

16 Грамматическая форма: глаголы СВ в будущем времени (лицо и число глагола зависят от субъ-екта).
    Другие языковые средства: (1) Мне не подобрать; Не могу подобрать; (2) Не всякому всё сразу понять; Не всякий может всё сразу понять; (3) И зал-то полный не собрать; И зал-то полный не-возможно собрать.

17 *Даётся один из возможных вариантов ответа.* 1. Всех так сразу и не перечислишь. 2. Все ки-нотеатры и не вспомню. 3. Новых русских фильмов на DVD в Сиднее не найдёшь. 4. На премьер-ный показ фильма — лауреата «Оскара» билетов не купишь. 5. Я тоже ничего не пойму в дей-ствии фильма с субтитрами. 6. Конечно, денег мало, а без денег ничего хорошего не снимешь. 7. Какую ни погладишь, ты ему всё равно не угодишь.

18 Конструкция *не* + название первого объекта сравнения (который кажется необычным) + *а* + на-звание второго объекта сравнения (на который похож первый объект) + *какой-то* (род, число и падеж, как у второго объекта сравнения) выражает возмущение говорящего
    1. Не кинотеатр, а ночной клуб какой-то! 2. Не рабочая комната, а свинарник какой-то! 3. Не класс, а филиал Вагановки какой-то! 4. Не фильм, а открытка для интуристов какая-то! 5. Не статья, а бред какой-то! 6. Не праздник, а заседание суда какое-то! 7. Не пляж, а рай небесный какой-то! 8. Не дети, а черти лесные какие-то!

19 *Ох уж мне* + *этот* (в форме, соответствующей роду и числу сущ.) + *сущ. в им. п.*
    Даётся один из возможных вариантов ответа. 1. Ох уж мне эти лыжные трассы! 2. Ох уж мне это переписывание истории! 3. Ох уж мне эти кинокритики! 4. Ох уж мне этот юбилей!

20 *Даётся один из возможных вариантов ответа.* 1. Начинай с чего хочешь, музеев этих пруд пруди: и тебе Эрмитаж, и Русский музей, а не хочешь — Петропавловка. 2. Покупай что хочешь, сувениров пруд пруди: и тебе иконы, и матрёшки, а не хочешь — украшения из янтаря. 3. Книг этих пруд пруди: и тебе Лермонтов, и Достоевский, а не хочешь — Толстой. 4. Актёров звёздных пруд пруди: и тебе Меньшиков, и Миронов, а не хочешь — Маковецкий. 5. Поездок этих пруд пруди: и тебе Крым, и Кавказ, а не хочешь — средняя полоса России. 6. Блюд русских пруд пруди: и тебе винегрет, и селёдка под шубой, а не хочешь — мясо по-боярски. 7. О вкусах не спорят. Фильмов, чтобы расслабиться, пруд пруди: и тебе комедии, и триллеры, а не хочешь — фантастика.

21 1. нейтральное; 2. категорическое возражение (эмоционально нейтральное); 3. категорическое возражение (в резкой форме, пренебрежительное по отношению к собеседнику); 4. высокий стиль

24 *актуальная лексика:* Михаил Шемякин; памятник Казанове; памятник «Дети — жертвы пороков взрослых» и пр.; *оценочность и экспрессивность:* мой Казанова; список катастроф, порождающих детей-монстров; должны выглядеть грозно; жаль только, что они всё-таки маловаты и пр.; *личностное начало:* Я имел в виду, то что...; будущие беды вроде клонирования и пр.; клише: слился с венецианским стилем; расписывая её прелести и пр.; *эмоционально-окрашенные средства:* выдержать напряг и пр.

25 *актуальная лексика:* комдив Котов; два часа двадцать минут экранного времени; «Утомлённые солнцем»; Никита Михалков и пр.; *оценочность и экспрессивность:* огромное количество символов; масса смыслов; стильно; замечательная игра актёров; хорошее кино и пр.; *личностное начало:* это — понятно; Я как-то задал такой вопрос; И при чём здесь это трогательное курортное танго? и пр.; *клише:* над которым уже занесена рука НКВД; нашумевший фильм; *эмоционально-окрашенные средства:* навязло в ушах; Ничего себе утомлённые!; грамотно впихнуть и пр. *Черты публицистического стиля:* прямо выражается и аргументируется мнение авторов, даётся оценка, в чём проявляется стремление авторов сформировать у читателя определённое представление о фильме.

33 Главные герои: Котов, Митя, Маруся, Надя
Семья: Кирик, Ольга Николаевна, Борис Константинович, Елена Михайловна, Лидия Степановна, Всеволод Константинович
Другие персонажи: Мохова, Филипп, шофёр, работники НКВД, лейтенант

36 1. 1917; 2. 1914–1918; 3. 1917; 4. 1917; 5. 1917; 6. 1918–1922; 7. 1917–1924; 8. 1922; 9. 1935; 10. Митя — 1900; Котов — 1900; Маруся — 1910; Надя — 1930; 11. ушёл на фронт в 1917; вернулся из эмиграции в 1927; опять уехал в 1927; 12. 1929

38 1. Котов — из простой семьи, из народа; Митя — из семьи, занимавшей высокое положение, вероятно, дворянин. 2. Котов — офицер, вероятно, он не получил специального военного образования, а выучился военному делу на практике; Митя по профессии — музыкант, но сейчас сотрудник НКВД. 3. Котов — на стороне Красной армии, был красноармейцем; Митя — на стороне Белой армии, был белогвардейцем; на войне он был ранен, о чём свидетельствуют шрамы. 4. Котов видит в советской власти идеал общественного устройства, приветствуя всё новое; Митя двойственно относится к новому советскому режиму: с одной стороны, он понимает, что происходит в стране, видит жестокость режима, а с другой — он идёт на сотрудничество с властью. 5а. Котов пользуется уважением советских людей, он известен всей стране, существует культ его личности. 5б. Сотрудники НКВД уважают и одновременно боятся Митю, что свидетельствует о его высоком положении в структуре НКВД, хотя никому в стране он не известен. 6. Котов погибает от рук НКВД; в заключительной сцене Митя кончает жизнь самоубийством.

39 А) 1. влюбляется; 2. влюбилась; 3. любят; 4. полюбил; 5. любил; 6. нравилась; полюбить; 7. нравилось; любит; 8. влюблялся
Б) 1. влюблена; 2. влюблённые; 3. любящий; 4. любимый; 5. влюбчивых

40 умереть — нейтральное; погибнуть — нейтральное; скончаться — официальное; сдохнуть — о животном — нейтральное, о человеке — грубое; покончить с собой — нейтральное. При этом *умереть, скончаться, сдохнуть* означают «уйти из жизни своей смертью»; *погибнуть* — «уйти из жизни в результате насильственной смерти или несчастного случая, катастрофы»; *покончить с собой* — «уйти из жизни по собственной воле»
1. скончался/умер; 2. скончался/умер; 3. погибли; 4. покончил с собой; 5. сдохла/умерла; 6. умерла/скончалась; умер/скончался; 7. погибли; 8. погибла/скончалась/умерла; умерла/скончалась; 9. покончил с собой; 10. сдохли/умерли/погибли

41 Такие конструкции называют действие субъекта, который неизвестен, которого не хотят называть или который мыслится обобщённо (без уточнения). Таких конструкций оказалось много, потому что собеседники говорят о действиях представителей власти, однако предпочитают не уточнять, о ком именно идёт речь, поскольку это опасно.

42 1д; 2а; 3е; 4б; 5в; 6г

43 *Даётся один из возможных вариантов ответа.* 1. Уж чего-чего, а компьютеров в магазинах достаточно. 2. Уж кому-кому, а тебе-то точно положительный ответ придёт. 3. Уж кто-кто, а из наших-то студентов любой справится. 4. Что за глупости ты говоришь?! Уж кого-кого, а наших-то дам интриганками не назовёшь. Они сама любезность.

44 *Даётся один из возможных вариантов ответа.* 1. Исследователи о них слышать не слышали / знать не знали. 2. Почему сразу я?! Я его видеть не видел. 3. Да я о ней знать не знал. 4. Я их видеть не видел. 5. Что ты, да я об этом и думать не думала, мечтать не мечтала.

Сокращения

аббр.	— аббревиатура	офиц.	— официальное (слово, выражение)
англ.	— английское (слово)	пл.	— площадь
бран.	— бранное (слово, выражение)	полит.	— политический термин (слово, выражение)
библ.	— библеизм (слово, выражение)		
вин. п.	— винительный падеж	поэтич.	— поэтическое (слово, выражение)
в т. ч.	— в том числе		
высок.	— высокого стиля (слово, выражение)	предл. п.	— предложный падеж
		пренебр.	— пренебрежительное (слово, выражение)
г.	— год		
г.	— город	прил.	— прилагательное
гг.	— годы	простореч.	— просторечное (слово, выражение)
географ.	— география, географический термин (слово, выражение)		
		публиц.	— публицистического стиля (слово, выражение)
гл.	— глагол		
груб.	— грубое (слово, выражение)	р.	— река
дат. п.	— дательный падеж	разг.	— разговорное (слово, выражение)
жарг.	— жаргон, жаргонное (слово, выражение)		
		род. п.	— родительный падеж
и др.	— и другое	род.	— родился, родилась
и пр.	— и прочее	руб.	— рубль
и т. д. и т. п.	— и так далее и тому подобное	СВ	— глагол совершенного вида
и т. п.	— и тому подобное	сл.	— слово
им. п.	— именительный падеж	см.	— смотри
им.	— имени (кого-либо)	сниж.	— сниженное (слово, выражение)
ирон.	— ироническое (слово, выражение)	совет.	— советизм (слово, выражение)
		сокр.	— сокращение
истор.	— история, исторический термин (слово, выражение)	СПб.	— Санкт-Петербург
		спец.	— специальное (слово, выражение)
книж.	— книжное (слово, выражение)		
ласк.	— ласковое (слово, выражение)	ср.	— сравните
лит.	— литературное (слово, выражение)	студ.	— студенческое (слово, выражение)
М.	— Москва		
меж.	— междометие	сущ.	— существительное
мес.	— месяц	твор. п.	— творительный падеж
мест.	— местоимение	т. е.	— то есть
млн	— миллион	тел.	— телефон
млрд	— миллиард	ул.	— улица
муз.	— музыка	уменьшит.	— уменьшительное (слово)
напр.	— например	устар.	— устаревшее (слово, выражение)
неодобр.	— неодобрительное (слово, выражение)	фразеолог.	— фразеологизм
		эконом.	— экономика, экономический термин (слово, выражение)
неол.	— неологизм (слово, выражение)		
НСВ	— глагол несовершенного вида	экспрес.	— экспрессивное (слово, выражение)
общенауч.	— общенаучное (слово, выражение)		

Использованная литература

I. Лингвистическая литература

1. *Апресян Ю.Д.* Типы поверхностно-семантической информации для описания языка в рамках модели «Смысл ↔ Текст». Wien, 1980.

2. *Бонно К., Кодзасов С.В.* Семантическое варьирование дискурсивных слов и его влияние на линеаризацию и интонирование (на примере частиц *же* и *ведь*) // Дискурсивные слова русского языка: опыт контекстно-семантического описания / Под ред. К. Киселевой и Д. Пайяра. М.: Метатекст, 1998.

3. *Лекант П.А.* Синтаксис простого предложения в современном русском языке. 2-е изд., испр. М.: Высшая школа, 1986.

4. *Рогова К.А.* О филологическом анализе художественного текста // Художественный текст. Структура. Язык. Стиль. СПб.: Изд-во СПбГУ, 1993.

5. *Рогова К.А.* Русская литература сегодня: Курс лекций в университетах Европы (Дания, Италия, Финляндия) и США (Дьюкский ун-т): 1997–1999: Рукопись.

6. Русская грамматика: В 2 т. / Под ред. Н.Ю. Шведовой. М., 1980.

7. *Степанов Ю.С.* Константы: Словарь русской культуры: Опыт исследования. М.: Школа «Языки русской культуры», 1997.

8. *Chinkarouk O.* Глагольная конструкция с *было* в современном русском языке // Slovo 24–25 «La Russie des rivieres et des chemins». Paris: I.N.A.L.C.O., 2000.

9. *Nowotna M.* Le sujet, son lieu, son temps. Semiotique et traduction litteraire. Paris: Peeters, 2002.

II. Учебно-методическая литература

1. *Лобанова Н.А., Слесарева И.П.* Учебник русского языка для иностранных студентов-филологов: Систематизирующий курс (третий год обучения) / Под ред. В.Г. Гака. 2-е изд., испр. и доп. М.: Русский язык, 1984.

2. *Лобанова Н.А., Слесарева И.П.* Учебник русского языка для иностранных студентов-филологов: Систематизирующий курс (четвёртый — пятый годы обучения) / Под ред. В.Г. Гака. 3-е изд., испр. М.: Русский язык, 1988.

3. Пособие по речевой практике. Продвинутый этап / Авт.-сост.: К.А. Рогова, И.М. Вознесенская, И.Г. Гулякова, Н.М. Лейберова. СПб.: Изд-во СПбГУ, 1998.

4. *Рассудова О.П., Дэвидсон Д.* Speak Russian. Russian Stage 3: Пособие по развитию навыков разговорной речи. М., 1991.

5. Типовые тесты по русскому языку как иностранному. Второй сертификационный уровень. Общее владение. М. — СПб., 1999.

6. Типовые тесты по русскому языку как иностранному. Третий сертификационный уровень. Общее владение. М. — СПб., 1999.

III. Словари

1. *Ашукин Н.С., Ашукина М.Г.* Крылатые слова и литературные цитаты. Образные выражения. М., 1986.

2. Большой толковый словарь русского языка / Под ред. С. Кузнецова. СПб.: Норинт, 1998.

3. Большой энциклопедический словарь. М., 1996.

4. *Никитина Т.* Так говорит молодёжь: Словарь сленга: По материалам 70–90-х годов. СПб.: Фолио-Пресс, 1998.

5. Религии народов современной России: Словарь / Ред. кол.: Мчедлов М.П. (отв. ред.), Аверьянов Ю.И., Басилов В.Н. и др. М.: Республика, 1999.

6. Словарь русского языка: В 4 т. / АН СССР, Ин-т рус. яз., под ред. А.П. Евгеньевой. 2-е изд., испр. и доп. М.: Русский язык, 1981–1984.

7. *Фадеев С.В.* Тематический словарь сокращений современного русского языка. М.: РУССО, 1988.

8. Фразеологический словарь русского языка / Под ред. А.И. Молоткова. 4-е изд., стереотип. М.: Русский язык, 1986.

www.zlat.spb.ru

КНИГИ ИЗДАТЕЛЬСТВА «ЗЛАТОУСТ» ПРОДАЮТСЯ:

РОССИЯ

МОСКВА

«Московский Дом книги на Новом Арбате»: ул. Новый Арбат, д. 8. Ст. м. «Арбатская»
Понедельник — пятница: 9:00–21:00, суббота — воскресенье: 10:00–21:00
Тел.: (495) 789-35-91, http://www.mdk-arbat.ru

«Торговый дом "Библио-Глобус"»: ул. Мясницкая, д. 6/3, стр. 1
Ст. м. «Лубянка», «Кузнецкий мост», «Китай-город»
Понедельник — пятница: 9:00–21:00, суббота: 10:00 –21:00, воскресенье: 10:00–20:00
Справки о наличии книг в магазине: (495) 781-19-00, (495) 928-35-67
Справки по заказу и доставке книг в интернет-магазине по e-mail bgorders@gmail.com, http://www.biblio-globus.ru

«Дом педагогической книги»: улица Большая Дмитровка, дом 7/5. Ст. м. «Охотный ряд», «Театральная» — выход к Театру оперетты
Понедельник — пятница: 9:00–21:00, суббота: 10:00–21:00 воскресенье: 10:00–20:00
Тел.: (495) 629-43-92, 629-50-04

«Молодая гвардия»: улица Большая Полянка, дом 28. Ст. м. «Полянка»
Понедельник — суббота: 9:00–21:00, воскресенье: 10:00–19:00
Тел.: (495) 238-50-01, 780-33-70, www.bookmg.ru

«Торговый дом книги "Москва"»: ул. Тверская, 8. Ст. м. «Тверская», «Пушкинская», «Чеховская»
Каждый день с 10:00 до 01:00 без перерыва на обед
Тел.: (495) 629-64-83, 797-87-17
Справочная служба: spravka@moscowbooks.ru, http://www.moscowbooks.ru

«Русское зарубежье»: ул. Нижняя Радищевская улица, дом 2. Ст. м. «Таганская»
Понедельник — суббота: 9:00–21:00, воскресенье — выходной
Тел.: (495) 915-11-45, 915-27-97, http://www.kmrz.ru

Компания «Аргумент»
Тел.: (495) 939-21-76, 939-44-20,939-22-06, http://www.arg.ru

САНКТ-ПЕТЕРБУРГ

«Санкт-Петербургский Дом книги» (Дом Зингера): Невский пр., 28. Ст. м. «Невский проспект»
Каждый день с 9:00–24:00 без перерыва на обед
Справочная служба: (812) 448-23-55

«Университетский книжный салон»: Университетская наб., 11, филологический факультет СПбГУ. Ст. м. «Василеостровская»
Понедельник — пятница: 10:00–19:30, суббота: 10:00–18:00, воскресенье — выходной
Тел.: (812) 328-95-11

ИНТЕРНЕТ-МАГАЗИНЫ:

«BOOKS.RU — книги России»: http://www.books.ru
«БОЛЕРО»: http://www.bolero.ru, тел.: (495) 74-256-74

ИРКУТСК

ООО «ПродаЛитЪ»: г. Иркутск, ул. Фурье, 8, ТЦ «Премьер-Центр», 3-й этаж.
Тел: (3952) 241-777, 241-786, 334-704, e-mail: realiz@irk.ru, http://www.prodalit.ru

ЧЕЛЯБИНСК

ООО «Эсперанто»: г. Челябинск, Свердловский пр., 12а.
Тел.: (3512) 99 10 76, 99 10 78, 66 18 97, e-mail: esperanto@chel.surnet.ru

ЭКСПОРТ ИЗ РОССИИ:

ЗАО «Информ-система»

117447, г. Москва, Севастопольский пр., 11а.

Тел.: (495) 127-91-47, факс: (495) 124-99-38, e-mail: info@informsystema.ru

Юпитер-ИМПЭКС

105082, г. Москва, Налесный пер., д. 4.

Тел./факс: (495) 775-00-54, e-mail: export@jupiters.ru

БЛИЖНЕЕ ЗАРУБЕЖЬЕ

Белоруссия:	**«Академкнига»** (Минск), tel./fax: + 375 17 232 46 52, akademkniga@tut.by
	УП «Опткнига» (Минск), tel.: +375 17 280-78-35, fax: +375 17 262-02-11, beloptkniga@list.ru, sale@optkniga.com
	ИП «Шендрик» (Минск), tel.: +375 17 267-31-05, GSM: +375 29 669-48-40, shendrik_book@mail.ru
Казахстан:	**ТОО «Книжный мир семьи»** (Алма-Ата), tel./fax: +327 2 92 17 19, 327 2 92 16 69, kazkmc@rambler.ru
Киргизия:	**«Раритет-С»** (Бишкек), tel./fax: +312 66 44 93, www.books.kg, rarity@elcat.kg
Украина:	**Издательство «Знання»** (Киев), tel.: +38 044 537 63 62, fax: +38 044 537 63 61, sales@society.kiev.ua

ДАЛЬНЕЕ ЗАРУБЕЖЬЕ

OUR BOOKS ARE AVAILABLE IN THE FOLLOWING BOOKSTORES:

Australia:	**Language International Bookshop** (Hawthorn), tel.: +3 98 19 09 00, fax: +3 98 19 00 32, www.languageint.com.au, info@languageint.com.au
Austria:	**OBV Handelsgesellschaft mbH** (Wien), tel.: +43 1 930 77/227, www.buchservice.at, office@buchservice.at
Belgium:	**Post Viadrina** (Gent), tel./fax: +9 233 50 03, www.postviadrina.be, postviadrina@postviadrina.be
Croatia, Bosnia:	**Sputnik d.o.o.** (Zagreb), tel./fax: +3851 370 29 62, www.sputnik-jezici.hr, info@sputnik-jezici.hr
Czech Republik:	**Mega Books International** (Praha), tel.: + 420 272 123 19 01 93, fax: +420 272 12 31 94, www.megabooks.cinfo@megabooks.cz
	Styria, s.r.o. (Brno), tel./fax: +420 5 549 211 476, www.styria.cz, styria@styria.cz
Cyprus:	**Agrotis Import-Export Agencies** (Nicosia), tel.: +357 22 31 477/2, fax: +357 22 31 42 83, agrotisr@cytanet.com.cy
Denmark:	**Stakbogladen A/S** (Aarhus), tel.: +45 86 19 45 22, fax: +45 86 20 91 02, www.stakbogladen.com, slavic@stakbogladen.com
Estonia:	**AS Dialoog** (Tartu, Tallinn, Narva), tel./fax: +372 7 30 40 94, www.dialoog.ee, info@dialoog.ee
	Tartu: +372 730 40 93, tartu@dialoog.ee; **Tallinn:** +372 662 08 88, tallinn@dialoog.ee; **Narva:** +372 356 04 94, narva@dialoog.ee
Finland:	**Onegin Books OY** (Helsinki), tel.: +358 9 726 26 25, www.oneginbo.com, onegin@saunalahti.fi
	Ruslania Books OY (Helsinki), tel.: +3589 27 27 07 27, fax: +3589 27 27 07 20, www.ruslania.com, books@ruslania.com
France:	**SEDR** (Paris), tel.: +33 1 45 43 51 76, fax: +33 1 45 43 51 23, www.sedr.fr, info@sedr.fr
	Librairie du Globe (Paris), tel.: +33 1 42 77 36 36, www.librairieduglobe.com
Germany:	**Kubon & Sagner** (Munich), tel.: +89 54 21 81 10, fax: +89 54 21 82 18, www.kubon-sagner.de, postmaster@kubon-sagner.de
	Esterum (Frankfurt Main), tel.: +49 69 40 35 46 40, fax: +49 69 4909621, www.esterum.com, lm@esterum.com
	Buchhandlung "RUSSISCHE BUCHER" (Berlin), tel.: +49 3 03 23 48 15, fax: +49 33 20 98 03 80, www.gelikon.de, knigi@gelikon.de
Greece:	**Арбат** (Athens), tel./fax: +3 010 95 73 400, 010 95 73 480, arbat@ath.forthnet.gr
	Avrora (Saloniki), tel.: +30 2310 233951, www.avrora.gr, info@avrora.gr
Holland:	**Boekhandel Pegasus** (Amsterdam), tel.: +31 20 623 11 38, fax: +31 20 620 34 78, www.pegasusboek.nl, pegasus@pegasusboek.nl
Italy:	**Kniga di Doudar Lioubov** (Milan), tel.: +39 02 90 96 83 63, +39 338 825 77 17, kniga.m@tiscali.it
	Globo Libri (Genova), tel./fax: +39 010 835 27 13, www.globolibri.it, info@globolibri.it

Japan:	**Nauka Japan LLC** (Tokyo), tel.: +81 3 32 19 01 55, fax: +81 3 32 19 01 58, www.naukajapan.jp, murakami@naukajapan.jp
Latvia, Lithuania:	**Izglitibas Centrs Durbe** (Riga), tel.: +371 784 44 45, fax: +371 784 44 98, www.durbe.edu.lv, nora@durbeture.lv
Kuwait:	**Growmore General Trading Co** (Safat), tel.: +965 433 87 84/ 431 67 61, fax: +965 433 04 51, gmbooks@qualitynet.net
Poland:	**MPX Jacek Pasiewicz** (Warszawa), tel.: +48 22 813 46 14, mob.: +48 0 600 00 84 66, www.knigi.pl, jacek@knigi.pl
Serbia:	**Bakniga** (Belgrade), tel. +381 658 23 29 04, +381 11 264 21 78
Slovenia:	**Exclusive distributor: Ruski Ekspres d.o.o.** (Ljubljana), tel.: +386 1 546 54 56, fax: +386 1 546 54 57, mob.: +386 31 662 073, www.ruski-ekspres.com, info@ruski-ekspres.com
Spain:	**Alibri Llibreria** (Barcelona), tel.: +34 93 317 05 78, fax: +34 93 412 27 02, www.books-world.com, info@alibri.es
	Arcobaleno 2000, S.L. (Madrid), tel.: +34 91 407 98 45, fax: +34 91 407 56 82, www.arcobaleno.es, mirta@arcobaleno.es
	Dismar Libros (Barcelona), tel./fax: +34 93 329 89 52, dismar@eresmas.net
Switzerland:	**Pinkrus Gmbh** (Zurich), tel.: +41 1 262 22 66, fax: +41 1 262 24 34, www.pinkrus.ch, juhu@pinkrus.ch
	Dom Knigi (Geneve), tel.: +41 22 733 95 12, fax: +41 22 740 15 30, www.domknigi.ch, info@domknigi.ch
Turkey:	**Yab-Yay** (Istanbul), tel.: +90 212 258 39 13, fax: +90 212 259 88 63, yabyay@isbank.net.tr
United Kingdom:	**European Schoolbooks Limited** (Cheltenham), tel.: +44 1242 22 42 52, fax: +44 1242 22 41 37, www.eurobooks.co.uk, whouse2@esb.co.uk
	Grant & Cutler Ltd (London), tel.: +44 020 70 20, 77 34 20 12, fax: +44 020 77 34 92 72, www.grantandcutler.com, enquiries@grantandcutler.com
USA:	**Russia Online** (Kensington md), tel.: +1 301 933 06 07, fax: +1 240 363 05 98, www.russia-on-line.com, books@russia-on-line.com

ЗДЕСЬ ВЫ МОЖЕТЕ ПОЛУЧИТЬ КОНСУЛЬТАЦИИ ПО ИСПОЛЬЗОВАНИЮ УЧЕБНЫХ МАТЕРИАЛОВ «ЗЛАТОУСТА»:

Austria:	**Russisches Kulturinstitut** (Wien), tel.: +43 1 505 82 14, fax: +43 1 505 82 14 24, russ.kulturinstitut@chello.at
Belgium:	**Centre Culturel et Scientifique** (Bruxelles), tel.: +2 219 01 33, fax: +2 640 99 93, centcultrus@skynet.be
Croatia:	**Sputnik d.o.o.** (Zagreb), tel//fax: +3851 370 29 62, www.sputnik-jezici.hr, info@sputnik-jezici.hr
Finland:	**Russian Culture and Science Centre** (Helsinki), tel.: +358 9 40 80 25, fax: +358 9 44 47 84, helsinki@ruscentre.org, http://www.ruscentre.org
France:	**Centre Culturel de Russie** (Paris), tel.: +33 44 34 79 79, fax: +33 1 44 34 79 74, www.russiefrance.org, ruscentr@wanadoo.fr
Germany:	**RHWK** (Berlin), tel.: +49 30 2030 22 52, fax: +49 30 204 40 58, www.russisches-haus.de, info@russisches-haus.de
Luxembourg:	**Centre Culturel A.S. Pouchkine** (Luxembourg), tel.: +352 22 01 47, +352 49 33 71
Poland:	**Centrum Kultury Stowianskiej** (Warszawa), tel.: +48 22 851 39-66, fax: +48 22 858-95-01, slavica@slavica.com.pl
Slovenia:	**Ruski Ekspres d.o.o.** (Ljubljana), tel.: +386 1 546 54 56, fax: +386 1 546 54 57, mob.: +386 031 662 073, www.ruski-ekspres.com, info@ruski-ekspres.com
Spain:	**Fundacion Pushkin** (Madrid), tel.: +34 91 448 33 00, fax: +34 91 591 2797, director@fundpushkin.org
UAE:	**Russian Training Centre** (Dubai), tel.: +971 4 361 60 49, fax: +971 4 366 45 88, rtfsz@eim.ae, www.eim.ae

ПОСОБИЯ «ЗЛАТОУСТА», ВЫПУЩЕННЫЕ ПО ЛИЦЕНЗИИ, МОЖНО ЗАКАЗАТЬ:

Грузия:	**«Русский Дом»** (Тбилиси), tel.:+995 32 25 30 44, russki_dom@yahoo.com
Южн. Корея:	**«Пушкинский дом»** (Сеул), fax: +82 2 22 38 93 88, pushkinhouse@pushkinhouse.co.kr
Китай:	**Foreign Language Teaching and Research Press** (Beijing), tel.: +86 10 88 81 95 97, international@fltrp.com
Польша:	**Wydawnictwo REA s.j.** (Warszawa), tel./fax: +48 22 673 28 16, 673 28 16, 673 28 20, rea@rea-sj.pl, www.rea-sj.pl
Турция:	**Multilingual Yabanci dil Yayinlari** (Istanbul), tel./fax: +90 212 518 47 55, lozank@veezy.com

'21 568193 255921 568193 2559